CHRISTIAN BOURGOIS ÉDITEUR
12, avenue d'Italie – PARIS XIIIᵉ

LE LÉPREUX
DE SAINT-GILLES

PAR

ELLIS PETERS

Traduit de l'anglais
par A. BRUNEAU

10/18

INÉDIT

Série « Grands Détectives »
dirigée par Jean-Claude Zylberstein

Titre original :
The Leper of Saint Giles

© Ellis Peters 1981
© Christian Bourgois Éditeur 1989
pour la traduction française
ISBN-2-264-01377-X

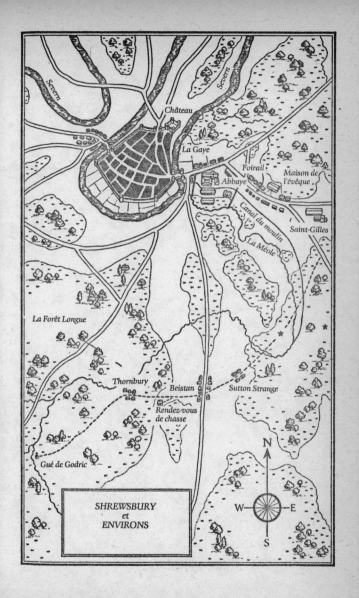

Château

Severn

Severn

La Gaye

Foirail

Maison de
l'évêque

Abbaye

Canal du moulin

Saint-Gilles

La Méole

La Forêt Longue

Thornbury

Beistan

Sutton Strange

Rendez-vous
de chasse

Gué de Godric

N

W — E

S

SHREWSBURY
et
ENVIRONS

CHAPITRE 1

En ce lundi après-midi d'octobre 1139, Frère Cadfael franchit le porche de l'abbaye, sentant obscurément qu'un incident de mauvais augure allait éclater avant son retour dans la cour principale ; il n'avait pourtant aucune raison de supposer qu'il serait absent plus d'une heure. Il se rendait seulement à la maladrerie de Saint-Gilles à l'autre bout de la Première Enceinte, à un demi-mille à peine de l'abbaye de Shrewsbury, afin de réapprovisionner en huiles, lotions et onguents l'armoire aux médicaments de l'hospice.

On avait toujours grand besoin de ces remèdes à Saint-Gilles. Même quand il y avait peu de lépreux, – la maladrerie avait pour but de les surveiller et de leur porter assistance –, il ne manquait jamais d'âmes indigentes et souffrantes à soigner, et les remèdes aux simples de Cadfael apaisaient les maux du corps comme ceux de l'esprit. Il accomplissait ce pèlerinage toutes les trois semaines en moyenne pour remplacer ce qui avait été utilisé. Ces derniers temps, il s'y rendait d'autant plus volontiers que Frère Marc, le précieux assistant qui lui faisait tant défaut à l'herbarium, s'était senti appelé à servir ces malheureux pendant un an et les visites à Saint-Gilles lui rappelaient le souvenir béni de ces jours paisibles.

Car, pour tout dire, les pressentiments de Cadfael n'avaient aucun rapport avec les événements importants dont allait être témoin l'abbaye Saint-Pierre et Saint-Paul de Shrewsbury, ni avec des noces ou des épousailles, ni avec une mort violente et soudaine. Il s'attendait plutôt à ce qu'en son absence à l'herbarium, dans le jardin aux simples, quelque flacon d'un précieux liquide ne fût brisé, qu'un sirop ne débordât, qu'une casserole ne fût brûlée ou encore que le feu du brasero, alimenté trop généreusement, ne gagnât les touffes d'herbes séchées qui bruissaient au-dessus et au pire, n'enflammât tout l'herbarium.

Marc avait été un assistant scrupuleux, aux gestes doux et précis. A sa place, Cadfael avait hérité – pour ses péchés – du plus joyeux, du plus candide, du plus insouciant et du plus maladroit des chérubins, toujours confiant, jamais abattu, un novice mal dégrossi de dix-neuf ans qui n'avait jamais dépassé le stade heureux de ses douze ans. Il avait deux mains gauches, mais son zèle et sa confiance en soi étaient absolus. Il était convaincu de pouvoir tout faire – il avait tant de bonne volonté –, mais il trébuchait au premier obstacle, toujours abasourdi et horrifié devant les désastres qu'il provoquait. Pour couronner le tout, c'était le garçon le plus enjoué et le plus affectueux de la terre... et malheureusement c'était aussi le plus incorrigible, tant était infinie sa capacité à espérer. Abreuvé de reproches, après avoir brisé, détruit, abîmé et brûlé, il laissait passer l'orage sereinement, aussi repentant qu'assuré de la grâce et certain d'éviter un nouvel échec. Cadfael ne se montrait jamais tiède à son égard, ni dans son affection, ni dans son irritation; l'air résigné, il trouvait toujours des excuses pour les dégâts que le garçon était presque sûr de causer dès qu'on le laissait sans surveillance suivre telles ou telles instructions. Pourtant, outre son caractère aimable, il avait des qualités. Il n'avait pas son pareil pour bêcher dur, l'épreuve suprême de l'automne : il s'y lançait avec l'ardeur que d'autres réservent à la prière et retournait la terre avec un amour et une ferveur que Cadfael ne pouvait qu'approuver. Mais surtout qu'on l'empêche de planter ce qui justifiait ses coups de bêche! Frère Oswin avait la main... noire!

Frère Cadfael n'avait donc pas le temps de penser au grand mariage qui, deux jours plus tard, allait avoir lieu dans l'église abbatiale. Il l'avait complètement oublié jusqu'au moment où il remarqua que, tout le long de la Première Enceinte, les gens se rassemblaient en groupes bavards devant leurs maisons et jetaient des regards impatients du côté de la route de Londres, dans la direction opposée à celle de la ville. Le ciel était couvert; il faisait froid et une légère bruine se mêlait à l'air, mais les commères de Shrewsbury n'avaient pas l'intention de se priver du spectacle pour autant. C'est par cette route que passeraient les deux cortèges nuptiaux, dont de toute évidence la rumeur avait déjà annoncé l'arrivée. Comme les cortèges ne franchiraient pas les murs de la ville, un bon nombre de bourgeois étaient venus se joindre au petit peuple de la paroisse de la Première Enceinte. Le va-et-vient et le brouhaha rappelaient presque un jour de foire ordinaire. Même les mendiants groupés près de la porterie montraient l'excitation des jours de fête. Lorsqu'un baron possédant des terres réparties sur quatre comtés se présentait pour épouser l'héritière d'un domaine aussi étendu que le sien, on pouvait espérer de grandes largesses pour célébrer l'événement.

Cadfael tourna le coin du mur d'enceinte, près du champ de foire et continua sur la grand-route, là où les maisons devenaient plus clairsemées et où les champs et les bois étendaient leur verdure jusqu'à la chaussée. Là également, les femmes se tenaient devant leurs portes, attendant impatiemment d'apercevoir les fiancés lors de leur arrivée, et à mi-chemin, un noyau de curieux s'était rassemblé devant une grande demeure pour épier, par le portail grand ouvert, le remue-ménage qui régnait dans la cour. Des serviteurs et des palefreniers allaient et venaient entre la maison et les écuries, leurs livrées aux couleurs vives sillonnant l'endroit. C'était là que devaient loger le fiancé et sa suite, tandis que la fiancée et les siens résideraient à l'hôtellerie de l'abbaye. Saisi par une pointe de curiosité tout humaine, Cadfael s'attarda un moment pour regarder avec les autres.

C'était une vaste demeure entourée de hauts murs, avec un jardin et un verger par-derrière; elle appartenait à Roger de Clinton, évêque de Coventry, qui y venait rarement. S'il prêtait sa maison à Huon de Domville qui avait des manoirs dans le Shropshire, le Cheshire, le Staffordshire et le Leicester, c'était en partie un témoignage d'amitié envers l'abbé Radulfe et en partie un

12

geste politique envers un puissant baron dont il était sage de se concilier la faveur et la protection en ces temps de guerre civile. Le roi Étienne avait beau être maître d'une grande partie du pays, la faction rivale était fermement implantée dans l'ouest, et il se trouvait nombre de seigneurs qui ne demandaient qu'à rallier l'autre camp si le vent de la fortune changeait. L'impératrice Mathilde avait débarqué à Arundel à peine trois semaines auparavant, accompagnée de son demi-frère Robert, comte de Gloucester et de cent quarante chevaliers ; grâce à la générosité malavisée du roi ou aux conseils malhonnêtes de certains de ses faux amis, elle avait pu sans encombre arriver jusqu'à Bristol, où sa cause était déjà solidement implantée. Ici, dans la campagne, en cet automne agréable, tout semblait en paix, mais chacun allait prudemment et retenait son souffle en écoutant les nouvelles ; même les évêques pouvaient avoir besoin d'amis puissants avant que le problème ne soit résolu.

Au-delà de la résidence de l'évêque, la route filait entre les arbres, laissant la ville loin derrière. A une portée de flèche de l'embranchement apparaissaient le long toit bas de la maladrerie, les pieux de sa clôture et plus loin encore le toit un peu plus élevé de l'église surmontée d'une petite tour carrée : une église toute modeste avec une nef centrale, un chœur, un bas-côté au nord et par-derrière, un cimetière où se dressait une croix de pierre sculptée. Les bâtiments s'élevaient discrètement à quelque distance des deux routes qui convergeaient vers la ville. Les lépreux, à qui il était interdit d'aller dans les rues populeuses des villes, devaient également, dans les campagnes, se tenir à distance pour mendier. Saint Gilles, leur patron, avait délibérément choisi le désert et la solitude pour vivre, mais eux n'avaient d'autre choix que de rester à l'écart de tous.

Il était pourtant évident qu'ils étaient dotés d'une bonne dose de curiosité, comme leurs frères humains, car eux aussi étaient dehors à surveiller la route. Pourquoi ces malheureux n'auraient-ils pas été au moins libres d'admirer leurs prochains plus heureux qu'eux, de les envier s'ils ne pouvaient faire mieux ou de souhaiter bonheur à leur mariage si leur générosité allait jusque-là? La clôture était bordée d'une rangée mouvante de silhouettes en habits sombres, aussi animées, sinon aussi agiles que celles de leurs frères valides. Certains d'entre eux étaient connus de Cadfael : ils s'étaient installés là à demeure et s'accommodaient du mieux possible de leur existence atrophiée parmi leurs aides familiers. D'autres étaient nouveaux. Il y avait toujours des nouveaux, des errants qui parcouraient le pays de lazaret en lazaret ou qui s'arrêtaient quelque temps dans un ermitage grâce à la charité d'un mécène, avant de continuer vers d'autres solitudes. Certains marchaient avec des béquilles ou s'appuyaient lourdement sur des bâtons, leurs pieds rongés par la maladie ou couverts d'ulcères. Un ou deux se déplaçaient sur de petits chariots; un autre, boursouflé de pustules, silhouette informe, se tenait recroquevillé près de la clôture, cachant son visage défiguré sous son capuchon. Ils étaient plusieurs qui, bien que valides, avaient la face voilée, ne laissant voir que leurs yeux.

Leur nombre variait car les nomades, évitant la

14

ville comme ils devaient éviter toutes les villes, continuaient leur chemin vers une autre maladrerie donnant sur un autre paysage. En moyenne, l'hospice abritait et soignait ici de vingt à trente malades à la fois. C'était l'abbaye qui nommait le supérieur. Les moines et les frères lais servaient là à leur propre demande. Il arrivait qu'un soignant en vienne à être soigné, mais il ne manquait jamais de volontaires pour le remplacer et le soigner à son tour.

Cadfael avait passé environ une année à ce travail; il n'éprouvait aucune répulsion et mesurait sa pitié, le respect étant un encouragement et un soutien nettement plus efficaces. En outre, il s'y rendait si régulièrement que ses visites faisaient maintenant partie d'une routine patiente et permanente au même titre que les offices. Il avait pansé plus de vilaines plaies qu'il ne pouvait se le rappeler et, sous ces enveloppes tavelées, avait découvert des cœurs ardents, des esprits vigoureux. Il avait assisté à des batailles, également, lorsqu'il n'était pas encore dans les Ordres, dans des lieux aussi lointains que Saint-Jean-d'Acre, Ascalon et Jérusalem, lors de la première Croisade; il avait vu des morts plus cruelles que la maladie et des païens plus généreux que des Chrétiens, et il connaissait des lèpres du cœur et des ulcères de l'âme bien pires que ceux qu'il incisait ou pansait avec ses cataplasmes d'herbes médicinales. Il n'avait pas été surpris, non plus, de voir Frère Marc choisir de marcher sur ses traces. Il se rendait parfaitement compte que la vocation religieuse comportait un degré supérieur que Marc était destiné à atteindre, et cela sans son exemple. Frère Cadfael se connaissait trop bien pour viser à la prêtrise, mais il savait reconnaître un futur prêtre.

Frère Marc l'avait vu arriver et approcha en trottinant, son visage aux traits quelconques illuminé de joie, ses cheveux couleur de paille tout hérissés autour de sa tonsure. Il tenait un enfant scrofuleux par la main, un gamin maigre qui avait des croûtes d'anciennes plaies dans ses cheveux blonds et fins. Marc écarta les cheveux collés au seul endroit encore à vif et regarda le travail accompli avec un grand sourire affectueux.

— Je suis heureux que vous soyez là, Cadfael. J'allais être à court de lotion de pariétaire ; regardez le bien que cela lui a fait ! La dernière plaie est presque guérie. Et les abcès du cou ont diminué également. Bran, mon garçon, montre à Frère Cadfael ! C'est lui qui nous prépare les remèdes, c'est lui notre apothicaire. Bien, maintenant, va rejoindre ta mère et reste près d'elle, sinon tu vas manquer tout le spectacle. Ils vont bientôt arriver.

L'enfant se libéra et partit en trottinant se mêler au triste petit groupe qui se refusait à être triste. On bavardait là-bas, on chantait, on riait même. Marc suivit des yeux son plus jeune patient, observant avec un chagrin évident sa démarche maladroite de cagneux qui était due à la malnutrition. Bran n'était là que depuis un mois, sa peau était encore presque diaphane.

— Et pourtant il n'est pas malheureux, constata Marc en s'émerveillant. Lorsqu'il est seul avec moi et qu'il me suit partout, c'est un vrai moulin à paroles.

— Il est gallois ? demanda Cadfael en jetant un coup d'œil pensif à l'enfant. Son prénom a dû lui

16

être donné en l'honneur de Bran le Bienheureux qui évangélisa le pays de Galles.

– Son père l'était. (Marc se retourna et lança à son ami un regard intense et chargé d'espoir.) Pensez-vous qu'il puisse guérir ? Guérir complètement ? Au moins, est-il bien nourri maintenant. Sa mère mourra ici. De toute façon, elle est devenue indifférente, gentille certes, mais heureuse de ne plus s'en occuper. Mais je crois vraiment qu'il peut retrouver la santé et revenir dans le monde.

« Ou en sortir, pensa Cadfael, car s'il te suit si assidûment, il ne peut qu'éprouver du goût pour l'église ou le cloître, et l'abbaye est toute proche. »

– Un enfant intelligent ? demanda-t-il.

– Plus intelligent que certains qui étudient le latin et savent compter et lire, plus intelligent que d'autres qui portent du beau linge et sont gâtés par leur nourrice. J'essaierai de lui apprendre quelque chose, du mieux que je pourrai.

Ils allèrent ensemble jusqu'à la porte de la maladrerie. Le brouhaha des voix impatientes s'était accru et, le long de la grand-route, leur parvenaient d'autres sons qui se rapprochaient petit à petit : un tintement de harnais, des appels de fauconniers, des conversations, des rires et le bruit étouffé des sabots foulant le bas-côté herbeux de préférence à la route elle-même. Un des cortèges approchait.

– On dit que c'est le fiancé qui va arriver le premier, annonça Marc en franchissant le porche pour pénétrer dans la grande salle obscure et, précédant Cadfael, se diriger vers le coin où se trouvait l'armoire aux remèdes.

Foulque Reynald, un des régisseurs de l'abbaye

et supérieur de l'hospice avait une clé; Frère Cadfael avait l'autre. Il ouvrit son escarcelle et se mit à ranger les préparations médicinales qu'il avait apportées.

— Savez-vous quelque chose à leur sujet? demanda Marc, succombant à la curiosité.

— A leur sujet? murmura Cadfael, tout occupé à noter ce qui manquait sur les étagères.

— Oui, au sujet de ces gens de la noblesse qui viennent se marier ici. Tout ce que j'en sais, c'est leurs noms. Je n'y aurais pas prêté attention, continua-t-il, rouge de confusion, si nos ouailles, qui n'ont pour eux que leurs plaies et leurs membres rongés, n'en avaient appris, Dieu sait comment, plus que moi; c'est une étincelle qui les réchauffe, comme si tout ce qui rayonnait sur eux leur était d'un plus grand secours que mes soins. Et pourtant, ce n'est jamais qu'un mariage.

— Un mariage, dit gravement Cadfael en rangeant ses pommades et ses lotions à base de buglosse, d'anémone, de menthe, de scrofulaire, de graines d'avoine et d'orge, pour la plupart plantes de Vénus et de la lune. Un mariage, c'est le moment crucial de deux vies et donc pas une mince affaire.

Il ajouta les graines de la moutarde qui appartiennent plutôt à Mars, mais donnent d'excellents cataplasmes et pommades pour combattre des ulcères graves.

— Chaque homme et chaque femme qui ont subi cette épreuve, ajouta-t-il pensivement, doivent se sentir proches de ceux qui vont l'affronter; même les autres peuvent y réfléchir avec sympathie.

Le mariage était l'une des joutes qu'il n'avait

jamais disputées, malgré l'étendue de son expérience avant d'entrer au monastère; mais il l'avait frôlé une fois et contourné plus d'une fois. Il ressentit quelque stupeur en se remémorant tout cela.

— Ce baron porte un nom fameux, mais je ne sais rien de plus sur lui si ce n'est qu'il est bien vu du roi, à ce qu'on dit. Quant à la fiancée, je pense que j'ai dû connaître autrefois un vieux parent a elle, mais je ne pourrais dire si elle est de la même lignée.

— J'espère qu'elle est belle, murmura Marc.

— Le prieur Robert serait bien intéressé de t'entendre parler ainsi! le rabroua sèchement Cadfael en refermant l'armoire.

— La beauté est un excellent remède, répliqua Frère Marc, sans la moindre gêne et avec force. Si la fiancée est jeune et jolie, si elle leur sourit et leur fait un signe de tête en passant, si elle ne recule pas à leur vue, elle fera plus pour mes patients que moi avec tous mes soins et mes cataplasmes. J'ai appris ici que le bonheur, c'est ce que l'on peut saisir au vol à chaque jour qui passe et garder en mémoire pour y repenser ensuite.

Il ajouta en se reprenant :

— Bien sûr, cela n'a pas besoin d'être les noces d'autrui. Mais peut-on gâcher une si belle occasion quand elle se présente?

Cadfael entoura de son bras les épaules encore étroites et frêles de Marc et l'entraîna de l'obscurité qui régnait à l'intérieur jusqu'à la lumière et à l'excitation croissantes de l'extérieur.

— Prions et espérons, dit-il chaleureusement, que cela soit une source de bénédiction même pour le couple qui s'y trouve engagé. Si j'en juge par le bruit, l'un des deux arrive. Allons voir!

Le noble fiancé et sa suite approchaient en un scintillement de couleurs vives, accompagnés d'appels de trompe et du doux bruit des clochettes des harnais; le cortège s'étirait sur cinquante pas et était flanqué de serviteurs à pied conduisant des poneys de bât et tenant en laisse deux couples de grands lévriers. De son allure hésitante, le petit groupe des exclus de la société s'avança avidement de quelques pas que son audace lui permit pour mieux voir ces belles étoffes et ces teintes splendides qu'il ne pourrait jamais porter; il s'éleva un murmure d'admiration étouffé et craintif lorsque le cortège arriva à hauteur de la clôture.

En tête, monté sur un grand cheval noir au superbe caparaçon écarlate et or – couleurs de ses propres habits d'apparat – venait un homme à la forte carrure, lourd et corpulent, inélégant mais bien en selle et ayant choisi de chevaucher loin au-devant de sa suite pour montrer sa prééminence absolue. Le suivaient, côte à côte, trois jeunes écuyers, veillant sur leur seigneur d'un œil attentif et circonspect, comme s'il pouvait à tout moment se retourner et les soumettre à une épreuve périlleuse. Cette même tension, qui était presque de la peur, était partagée par tous, du plus grand au plus petit, du valet, du chambellan, du palefrenier, du fauconnier jusqu'aux pages traînés par les lévriers. Seules les bêtes – chevaux, chiens, faucons sur leur présentoir – étaient détendues et sereines, sans peur aucune de leur maître.

Frère Cadfael se tenait avec Marc à la porte de la clôture et regardait le cortège avec une attention de plus en plus soutenue. Car, bien que n'importe lequel des trois écuyers eût pu être le fiancé, il n'était que trop évident qu'aucun d'eux n'était Huon de Domville. Il n'était jamais venu à l'esprit de Cadfael que ce baron pût ne plus être dans sa prime jeunesse, ni un jeune amoureux s'embarquant pour le mariage à l'âge qui convient à telle aventure, mais qu'il fût un homme avec plus de gris que de noir dans sa courte barbe bien fournie, un homme à la frange de cheveux frisés et grisonnants, et aux tempes dégarnies et luisantes que révélait négligemment son chaperon savamment torsadé. Le corps râblé, puissant et musclé encore, il avait la cinquantaine bien sonnée et devait même être tout proche de la soixantaine. Cadfael supposa qu'il avait dû déjà enterrer au moins une épouse, et probablement deux. D'après la rumeur, la fiancée venait d'avoir dix-huit ans et sortait à peine des bras de sa nourrice. C'était là des choses qui arrivaient. C'était là des choses qui se faisaient.

Cadfael ne pouvait détacher son regard du visage du cavalier qui approchait. Le front large et plat, agrandi par la calvitie naissante, ne jetait presque aucune ombre sur les méplats entourant les petits yeux noirs et malins, aux cils rares et aux orbites peu profondes, qui exprimaient une intelligence malveillante. La barbe bien taillée laissait voir une bouche mince et implacable. Le visage massif, brutal, musclé comme le bras d'un lutteur était inachevé, à peine dégrossi mais abritait, contre toute attente, un esprit subtil, ce qui rendait l'homme encore plus redoutable. C'était là Huon de Domville.

Il se trouvait à présent assez proche pour

remarquer le genre d'êtres humains qui sautillaient, observaient et gesticulaient avec animation près de l'humble église et le long du mur du cimetière. Le spectacle ne lui plut pas. Les yeux noirs, comme des petites prunes enfouies dans la pâte dure de son visage, virèrent au rouge sombre comme des charbons incandescents. De façon délibérée, il dirigea son cheval vers le côté de la route où ils se tenaient, délaissant le talus opposé, bien plus large, pour fouler l'herbe de leur côté et ainsi repousser la horde des malheureux vers leurs tanières. Et sa façon de les repousser fit largement appel au fouet. Il était douteux qu'il en eût jamais frappé son cheval, pur-sang de grande valeur et apprécié comme tel, mais il n'hésita pas à s'en servir pour chasser les lépreux de son chemin. Sa bouche crispée s'ouvrit et ordonna impérieusement :

— Hors de ma route, vermine! Allez cacher votre pourriture!

Ils se tassèrent sur eux-mêmes et, en une hâte soumise, reculèrent hors d'atteinte, sinon hors de sa vue. Tous sauf un. Dépassant ses compagnons d'une demi-tête, la silhouette mince d'un lépreux, enveloppé de sa cape, ne bougea pas d'un pouce, soit qu'il eût été incapable de se mouvoir rapidement, soit qu'il n'eût pas compris, soit encore en un défi muet. Il restait debout, regardant fixement par la fente du voile qui recouvrait son visage. Lorsqu'il se décida à faire un pas en arrière, sans tourner la tête, il s'appuya lourdement sur un pied et ne fut pas assez rapide pour éviter le coup de fouet, si toutefois il avait eu l'intention de l'éviter. La mèche porta sur son épaule et sa poitrine. Son pied mutilé céda sous lui et il tomba pesamment dans l'herbe.

Cadfael s'était élancé, mais Marc l'avait devancé, se précipitant avec un cri d'indignation et tombant à genoux pour protéger de son bras la silhouette décharnée et faire de son corps tendu un rempart entre l'homme à terre et le coup à venir. Mais Domville avait déjà continué sa route sans plus se soucier de ces rebuts d'humanité. Il ne hâta ni ne ralentit son allure ; il poursuivit simplement son chemin sans autre coup d'œil, imité par sa suite qui préféra rester sur la route, mais dont certains membres détournaient le visage. Les trois écuyers passèrent, gênés et mal à l'aise. Et même celui du milieu, un grand jeune homme aux cheveux filasse, se tourna carrément vers les deux silhouettes à terre et ses yeux couleur de bleuet leur jetèrent un regard atterré ; il trottait, le menton sur son épaule, jusqu'à ce que ses deux compagnons, d'un coup de coude, lui rappellent la prudence et son devoir.

Tout le cortège passa pendant que Marc aidait le vieillard décharné à se relever. Les serviteurs suivirent, le visage de bois, cuirassés contre le monde par leur condition de serviteurs. Vinrent ensuite les personnalités de marque, invités ou parents éloignés, le regard vide comme si rien ne s'était passé. Parmi eux, un ecclésiastique, l'air modeste, égrenait son chapelet en souriant doucement et en faisant mine de n'avoir rien vu. D'après la rumeur, un certain Eudes de Domville, chanoine de Salisbury, allait célébrer la cérémonie du mariage ; c'était un homme en faveur auprès de l'Église et du légat du Pape, prêt à monter dans la hiérarchie et probablement désireux de rester en si bonne grâce. Il passa avec les autres. Les palefreniers, les pages et les chiens suivirent; puis le tintement des grelots sur les brides s'atténua lentement au fur et à mesure qu'ils s'enfonçaient dans la première partie de la Première Enceinte.

Frère Marc remonta le talus, son bras autour du vieux lépreux. Cadfael s'était éloigné et les avait laissés seuls. Marc ne redoutait aucunement la contagion et ne pensait jamais au péril, tant il consacrait d'énergie aux soins nécessaires. Et il ne s'étonnerait pas non plus ni ne se plaindrait si la contagion finissait par l'atteindre et le rendre ainsi plus proche des gens qu'il servait. En revenant, il parlait à son compagnon sur un ton doux et réconfortant, car tous deux étaient habitués au mépris et n'en faisaient pas cas. Cadfael les regarda venir, remarqua la démarche déhanchée, mais régulière et volontaire du vieillard ainsi que le geste ample qu'eut sa main gauche, sortant rapidement de la manche, pour repousser le bras de Marc qui l'enlaçait, et mettre une certaine distance entre eux. Marc accepta ce refus avec simplicité et respect et s'éloigna. Cadfael avait vu, en plus, qu'à la main gauche, autrefois longue et élégante, manquaient l'index et le majeur, qu'il ne restait que deux phalanges à l'annulaire et que l'aspect des parties atteintes était blanchâtre, ridé et desséché.

– Ce n'est pas une conduite très noble, remarqua Marc sur un ton résigné et lugubre, secouant les brins d'herbe de sa robe de bure. Mais la peur rend cruel.

Frère Cadfael douta fort que la peur eût joué un rôle. Huon de Domville ne semblait pas homme à redouter quoi que ce soit, à part le feu de l'enfer, bien qu'il fût vrai que la maladie de ces réprouvés s'en approchait d'assez près.

— Vous avez un nouveau patient ? demanda-t-il en suivant la haute silhouette qui s'était déplacée le long du talus pour avoir une bonne vue de la route. Je ne pense pas l'avoir jamais aperçu.

— En effet, il est arrivé, il y a une semaine ou deux. C'est un nomade, un éternel pèlerin qui va de reliques en reliques autant que son état le lui permet. Il dit qu'il a soixante-dix ans et je le crois. Il ne restera pas longtemps, à mon avis. Il s'est arrêté ici parce que les ossements de sainte Winnifred sont restés dans cette église avant d'être déposés dans l'abbaye. Il ne peut pas aller à l'abbaye, si près de la ville, mais il peut venir ici.

Cadfael qui, sur l'emplacement des reliques de cette vierge célèbre en savait plus qu'il ne pourrait jamais confier à son frère innocent, se frotta pensivement le nez, qu'il avait camus et se dit tranquillement que même de sa lointaine tombe à Gwytherin, sainte Winnifred s'efforcerait d'entendre les prières d'un pauvre hère malade [1].

Son regard suivit la haute silhouette qui se tenait si droite. Dans l'anonymat de la cape et du capuchon sombres et sous le tissu qui dissimulait même les visages les plus atrocement défigurés, ces hommes et ces femmes, jeunes et vieux semblaient passer dans la solitude et le secret le restant de leur vie. Plus aucun sexe, âge, couleur de peau, pays, croyance : ils n'étaient tous que des témoins vivants, connus seulement de leur Créateur. Non, ce n'était pas vrai : par l'allure, par la voix, par la stature, par un millier d'infinitésimales particularités de caractère et de personnalité qui perçaient à travers le déguisement, chacun s'avérait unique. Ce vieux lépreux gardait en

1. Voir *Trafic de reliques*, d'Ellis Peters, 10-18, n° 1994.

son silence une présence hautaine et dans son immobilité face à la menace manifestait une dignité rare et intimidante.

— Tu lui as parlé?

— Oui, mais il parle peu. D'après sa façon d'articuler, dit Marc, je pense que les lèvres ou la langue doivent être atteintes. Les mots viennent lentement, un peu déformés et il se fatigue vite. Mais sa voix est calme et profonde.

— Quels remèdes lui donnes-tu?

— Aucun, car il dit n'en avoir nul besoin; il a son propre baume. Personne ici n'a vu son visage. C'est pourquoi je crois qu'il doit être affreusement défiguré. Vous avez remarqué qu'un de ses pieds est mutilé? Il a perdu tous les orteils, à part la première phalange du gros orteil. Il s'est fait fabriquer une chaussure spéciale, une semelle stable qui lui donne un bon appui sur le sol. Il se peut que l'autre pied soit atteint également, mais pas autant.

— J'ai vu sa main gauche, dit Cadfael.

Des mains comme cela, il en avait déjà vu, avec les doigts rongés qui tombaient comme des feuilles mortes, la pourriture dévorant lentement la chair jusqu'à ce que disparaissent même les os du poignet. Pourtant, il semblait à Cadfael que la lèpre, ce démon vorace, avait péri de sa propre gourmandise chez le vieux lépreux. Il ne restait aucune croûte d'ulcères; à l'endroit où se trouvaient autrefois les doigts, la chair livide et cicatrisée était sèche et guérie, même si elle était horrible à regarder. Lorsque le vieillard avait fait des gestes, Cadfael avait vu bouger des muscles fermes au revers de la main.

— T'a-t-il donné son nom?

— Il dit s'appeler Lazare, sourit Marc. Je pense que c'est un nom qu'il s'est donné à un baptême tardif, peut-être quand il a rompu avec sa famille et sa maison, obéissant ainsi à la loi. C'est une seconde naissance, même si elle est pitoyable. Il fut son propre parrain. Je ne pose pas de questions. Mais je voudrais bien qu'il demande notre aide et ne s'en remette pas uniquement à ses remèdes. Il doit sûrement avoir des plaies et des ulcères qui bénéficieraient de vos onguents, et cela avant qu'il reparte comme il est arrivé.

Cadfael réfléchit en observant la silhouette perdue dans ses propres pensées et immobile au sommet du talus.

— Pourtant il n'est pas complètement insensible! A-t-il encore l'usage des membres qui lui restent? Sent-il le chaud et le froid? Et la douleur? S'il se blesse à un clou ou à une écharde dans la clôture, s'en aperçoit-il?

Marc ne savait pas; il ne connaissait de la maladie que ce qu'il en avait vu : spectacle horrible, plein d'ulcères et de plaies.

— Il a senti la morsure du fouet, je le sais, même à travers la protection de la cape. Oui, il ressent certainement la douleur, comme les autres hommes.

« Mais ceux qui ont la véritable lèpre, pensa Cadfael, en se rappelant tous ceux qu'il avait vus lorsqu'il était Croisé, il y avait bien longtemps, ceux qui deviennent blancs comme cendre, ceux dont la peau part en lambeaux gris quand la maladie est à son comble, ceux-là ne ressentent pas la douleur comme les autres hommes. Ils se blessent, saignent et ne se rendent pas compte de leur blessure. Durant leur sommeil, un de leurs pieds peut s'égarer dans le feu, et ils ne se réveillent qu'à la puanteur de leur propre chair qui brûle. Ils touchent et ne peuvent être sûrs de toucher; ils tiennent mais ne peuvent soulever. Privés du sens du toucher et de leur fonction, les doigts, les orteils, les mains, les pieds tombent et pourrissent. Comme Lazare avait perdu doigts et orteils. Mais de telles victimes ne marchent pas – aussi maladroitement que ce soit – comme marchait Lazare; elles ne se relèvent pas avec une énergie aussi vive et efficace ni ne se saisissent d'un appui comme Lazare s'était emparé du bras que lui offrait Marc, et cela de la main malade. Pas avant que le démon qui les dévore meure de sa propre pourriture. »

– Pensez-vous, demanda Marc avec espoir, que cela peut ne pas être la lèpre, après tout?

– Oh si! répliqua immédiatement Cadfael en hochant la tête. Pas de doute! c'est bien la lèpre.

Il n'ajouta pas que d'après lui la plupart des maux qu'ils soignaient là n'étaient pas la vraie lèpre, même s'ils entraînaient la même exclusion et portaient le même nom. Tous ceux qui avaient soudain des abcès se transformant en ulcères, des éruptions cutanées blanchâtres et écailleuses ou des plaies purulentes, étaient classés comme lépreux, mais Cadfael soupçonnait que plus d'un cas relevait de la saleté ou provenait d'une alimentation insuffisante et trop pauvre. Il fut attristé de voir la déception se lire sur le visage de Marc. Aucun doute : il espérait guérir tous ceux qui venaient là.

Le long de la route leur parvint la rumeur lointaine d'un autre cortège qui s'approchait de la ville. Les chuchotements des spectateurs, assour-

28

dis depuis le malencontreux passage de Domville, reprirent tels de joyeux pépiements de moineaux ; les lépreux gagnèrent, en se traînant, le milieu du talus et allongeant le cou, fixèrent la route pour apercevoir la fiancée. Le fiancé n'avait semé que la consternation. La dame serait-elle différente ?

Surmontant sa déception, Frère Marc prit Cadfael par la manche.

— Venez ! Autant attendre et voir la suite à présent. Je sais que tout est en ordre dans votre herbarium, même sans moi. Pourquoi rentrer si vite à l'abbaye ?

Se rappelant les dons si particuliers de Frère Oswin, Cadfael pouvait citer plus d'une raison pour ne pas abandonner trop longtemps son herbarium, mais également une bonne raison pour s'attarder.

— Je suppose qu'une autre demi-heure ne changera pas grand-chose, acquiesça-t-il. Allons nous poster près de ton Lazare que je puisse l'observer à l'aise sans lui porter offense.

Le vieillard ne bougea pas en les entendant approcher et ils s'arrêtèrent un peu à l'écart pour ne pas troubler sa profonde méditation. Il avait, pensa Cadfael, la tranquille indépendance d'un ermite du désert ; à l'instar de ces Pères qui avaient choisi leur austère solitude, il créait la sienne, même au milieu des hommes. Il les dominait tous deux d'une bonne tête et se tenait droit comme une lance, presque aussi mince, si ce n'était ses larges épaules osseuses sous la cape. Ce ne fut que lorsque la brise apporta la rumeur du cortège qui approchait et qu'il tourna avidement la tête en direction du bruit, que Cadfael entrevit le visage sous le capuchon. Ce dernier recouvrait le front qui devait être haut et large d'après la forme de la tête, et le voile en tissu bleu grossier était remonté jusqu'aux pommettes. Par la fente, on ne distinguait que les yeux, mais ils sortaient de l'ordinaire : de grands yeux, non atteints par la maladie, d'un gris-bleu clair et pâle, mais lumineux. Quelles que fussent les infirmités que l'homme dissimulait, ses yeux, habitués à scruter les grands espaces, voyaient loin et nettement. Il ne prêtait aucune attention aux deux moines à ses côtés. Son regard, les dépassant, se portait là où apparaissait le cortège dans un scintillement de couleurs et de jeux de lumière.

Il y avait moins de cérémonie cette fois que dans la suite de Huon de Domville et moins de gens. Il n'y avait pas non plus de personnage dominant et isolé en avant du cortège, mais un groupe de palefreniers à cheval entourant, comme une garde armée, trois personnes chevauchant ensemble. D'un côté, un homme sec et brun, au teint olivâtre, de quarante-cinq ans environ, vêtu d'habits somptueux aux couleurs sombres et chatoyantes montait un cheval gris, léger et rapide, « sûrement en partie arabe », pensa Cadfael. L'homme avait les cheveux noirs et abondants couverts d'un chaperon orné d'une plume et une barbe noire bien taillée qui encadrait une bouche aux lèvres épaisses. C'était un visage étroit et fermé, subtil et soupçonneux. De l'autre côté, montant une haquenée rouanne, venait une dame du même âge, mince et élégante, d'une beauté froide et aussi brune que son époux. Elle avait une bouche pincée et calculatrice et des yeux perçants sous des sourcils qui avaient tendance à se froncer même quand la bouche souriait. Elle avait une coiffure à la mode, un costume de cavalière de coupe londonienne et elle chevauchait avec grâce et style, mais son apparence frappait par une certaine froideur.

Entre eux deux, paraissant d'autant plus petite et dominée, venait une minuscule jeune fille, frêle comme une enfant, montée sur un palefroi trop grand pour elle. Sa main était légère sur les rênes, son attitude en selle passive mais gracieuse. Elle était royalement vêtue de tissu d'or et de soie bleu foncé, et sous le fardeau de ses atours, sa fragile silhouette paraissait rigide et crispée comme un corps dans un cercueil. Sous une résille dorée retenant une chevelure d'or sombre, son regard fixait le vide. Son visage rond et doux aux traits délicats et aux grands yeux gris d'iris paraissait si pâle et si soumis qu'elle ressemblait à une jolie poupée plutôt qu'à une femme vivante. Cadfael entendit Marc retenir un cri de surprise. C'était une honte de voir ainsi la jeunesse et la fraîcheur si dépourvues de joie et réduites à un tel silence.

Ce seigneur-ci avait, lui aussi, reconnu la nature des lieux et de ceux qui en étaient sortis pour voir passer sa nièce. Contrairement à Domville, il ne s'élança pas délibérément sur les offenseurs, mais dirigea sa monture de l'autre côté pour laisser plus de distance entre lui et les malades, en détournant la tête pour éviter de les voir. La jeune fille aurait pu passer sans même les remarquer tant elle était plongée dans sa tristesse soumise si le petit Bran, les yeux brillants, oubliant toute retenue, n'avait dévalé le talus pour avoir une meilleure vue. Le mouvement soudain qu'elle perçut sous ses paupières la fit sursauter et tourner la tête, et elle revint à la vie en contemplant, d'un air apitoyé, un innocent encore plus infortuné qu'elle. L'espace d'un instant, elle le regarda avec une compassion horrifiée et puis, se rendant compte de son erreur, voyant qu'il lui souriait, elle lui rendit son sourire. Cela ne dura qu'un clin d'œil, mais en ce laps de temps, elle rayonna d'une bonté chaleureuse, éclatante et compatissante ; avant que le ciel clair se recouvrît de nuages, elle s'était penchée par-dessus le pommeau de sa tante et avait jeté une poignée de pièces dans l'herbe, aux pieds de l'enfant. Bran fut si ravi qu'il ne se baissa même pas pour les ramasser, mais la suivit du regard, les prunelles écarquillées et la bouche béante.

Personne d'autre ne fit d'aumônes. Sans aucun doute, tous réservaient, pour faire plus d'effet, leurs largesses à la porterie de l'abbaye où les attendait certainement une foule de mendiants pleins d'espoir.

Machinalement Cadfael détourna son regard de l'enfant pour le reporter sur le vieux Lazare. Bran pouvait se permettre cet enchantement candide, sans envie ni convoitise, à la vue des couleurs éclatantes et des beaux habits des plus fortunés que lui, mais ceux qui étaient chargés d'ans et d'expérience trouveraient sans doute amère la vue de ces biens inaccessibles. Le vieillard n'avait pas bougé, sauf au passage des cavaliers quand il avait tourné la tête pour ne pas perdre les trois personnes de vue, sans un regard pour les nobles dames et les serviteurs qui suivaient. Entre capuchon et voile, ses yeux étincelaient, pâles, brillants et bleus comme de la glace, fixant la fiancée sans ciller, aussi longtemps qu'elle resta en vue. Après que le dernier cheval de bât eut disparu derrière le tournant de la Première Enceinte, il resta immobile comme si son regard intense pouvait les suivre jusqu'à la porterie et transpercer les murs pour prolonger son observation.

Frère Marc poussa un soupir profond et triste avant de se tourner, l'air étonné, vers Cadfael.

– C'est elle? Et ils veulent lui faire épouser cet homme? Il pourrait être son aïeul, et un aïeul ni très courtois, ni très aimable, qui plus est. Comment cela se peut-il?

Il fixa la route comme la fixait le vieillard.

– Si frêle et si jeune! Avez-vous vu son visage? Quelle tristesse! Cette union se fait contre sa volonté!

Cadfael ne dit rien; il n'y avait rien à dire de rassurant ni de réconfortant. C'était chose coutumière là où se trouvaient des terres, des biens et de puissantes alliances à gagner. L'opinion des filles à marier – et même des garçons – était de peu de poids quant à la façon dont on disposait de leurs personnes. Il existait peut-être même des fiancées assez malignes pour voir les avantages d'un mariage avec des hommes assez vieux pour être leurs aïeux, là où de bonnes terres étaient en jeu, puisque la mort pouvait rapidement les délivrer de leur époux, mais leur laisser le douaire et le statut de veuve, et qu'avec un peu de chance et beaucoup d'intelligence, elles réussiraient peut-être à contracter une union plus à leur convenance. Mais à en juger par son visage, Iveta de Massard voyait dans le sort qui l'attendait plus sa propre mort que celle de son mari.

– Je prie Dieu de l'aider! dit Marc avec ferveur.

– Il se peut qu'Il en ait l'intention, répondit

Frère Cadfael, parlant plutôt à lui-même qu'à son ami. Mais il se peut aussi qu'Il ait le droit d'attendre des hommes qu'ils assistent un peu pour corriger tout cela!

Dans la cour de la résidence de l'évêque, à la Première Enceinte, les serviteurs de Huon de Domville déchargeaient les chevaux de bât et s'activaient à transporter la literie, les tentures et les belles étoffes qui orneraient les lieux de la célébration et le lit nuptial. L'échanson avait déjà versé du vin pour son maître et pour le chanoine Eudes qui était un lointain cousin. Le chambellan avait veillé à ce que la plus belle chambre fût chauffée et confortable avant de préparer une robe large et chaude et des pantoufles fourrées pour remplacer les habits rigides de cavalier et les longues bottes élégantes. Le baron s'affala sur les coussins de sa chaise et étendit ses jambes trapues, serrant les mains autour d'un gobelet de vin chaud et épicé : il était très satisfait. Peu lui importait que le cortège de sa fiancée approchât, venant de Saint-Gilles. Il ne ressentait ni besoin ni désir de perdre du temps à regarder passer ce qu'il avait acquis; il était déjà sûr d'elle et il la verrait bien assez après le mariage. Il était là pour conclure un marché qui lui donnait pleinement satisfaction à lui ainsi qu'à l'oncle et tuteur de la jeune fille et, bien que la jeunesse et la séduisante beauté de l'adolescente fussent un bonus agréable, cela n'avait réellement que peu d'importance.

Joscelin Lucy confia son cheval à un palefremier, écarta d'un coup de pied un ballot de linge et revenait en hâte vers le portail et la route lorsque son camarade Simon Aguilon, le plus âgé des trois écuyers au service de Domville, le saisit par le bras.

— Où t'en vas-tu si vite ? Il t'appellera à grands cris aussitôt qu'il aura vidé sa première coupe, tu le sais. C'est ton tour de servir Leurs Seigneuries !

Joscelin tira sur ses cheveux de lin et laissa échapper un brusque éclat de rire.

— Quelle Seigneurie ? Tu l'as vu aussi bien que moi. Frapper un pauvre hère qui ne peut pas riposter et presque le piétiner à mort, et ce sans qu'aucune offense ne soit faite ! Que le Diable emporte une telle Seigneurie ! Et que le Diable l'emporte, lui et sa soif, jusqu'à ce que j'aie vu passer Iveta !

— Joss, imbécile ! le mit en garde Simon d'une voix anxieuse, un beau jour tu parleras trop et trop fort ! Si tu le contraries maintenant, il te jettera dehors tout nu et tu devras retourner chez toi et t'expliquer avec ton père. En quoi cela aidera-t-il Iveta ? Ou toi ?

Il hocha la tête devant l'attitude de son ami, mais avec bonne humeur, tout en le retenant.

— Il vaut mieux que tu y ailles ! Sinon il aura ta peau !

Le plus jeune des trois revint après avoir dessellé sa monture et leur sourit :

— Oh ! qu'il aille la regarder ! Qui sait combien de fois encore il pourra le faire ! (Il donna une bourrade amicale sur l'épaule de Joscelin.) Je vais te remplacer cette fois-ci. Je lui dirai que tu es en train de t'assurer que tous les tonnelets de vin sont manipulés avec douceur, cela lui plaira. Va la contempler, pour le bien que cela peut vous faire à tous deux...

— Tu ferais cela pour moi, Guy? C'est gentil. Je te remplacerai quand tu le voudras.

Et il s'élançait à nouveau vers le portail lorsque Simon le prit aux épaules et lui emboîta le pas.

— Je vais venir avec toi. Il n'aura pas besoin de moi pendant un certain temps. Mais écoute-moi, Joss! continua-t-il sérieusement, tu prends trop de risques avec lui. Tu sais qu'il peut faire beaucoup pour toi; tu es un imbécile de mettre ton avenir en péril. Et tu peux lui plaire, si tu t'y appliques; il n'est pas trop dur avec nous.

Ils franchirent le portail et se tinrent à l'angle du mur, appuyant leurs épaules au pilier en pierre et regardant la Première Enceinte; tous deux étaient grands et robustes, mais Simon, de trois ans l'aîné, était plus petit d'un empan. Le garçon maussade aux cheveux filasse se mordait la lèvre et fixait le sol d'un air renfrogné.

— Mon avenir! Que peut-il faire à mon avenir, à part me renvoyer en disgrâce auprès de mon père et pourquoi diantre me mettre martel en tête pour cela? J'aurai deux bons manoirs à moi qu'il ne peut me prendre, et il y a d'autres seigneurs à servir. Je suis aussi bon que n'importe qui au maniement des armes...

Simon éclata de rire, secouant joyeusement son ami, le bras autour de ses épaules.

— Je te crois! J'en ai assez souffert!

— Il y a bien assez de seigneurs qui demandent des hommes sachant se battre, maintenant que l'impératrice est de retour en Angleterre et que la lutte pour la couronne devient sérieuse. Je saurai me tirer d'affaire. Mais toi, mon ami, tu ferais bien de te préoccuper de ta situation, tu as autant à perdre que moi. Tu es le fils de sa sœur et son héritier actuel, mais si... (il serra les dents; c'était difficile à dire, mais il éprouvait une joie mauvaise à se poignarder et à retourner le fer dans sa propre plaie),... mais si les choses changeaient? Une jeune épouse... Et s'il a un fils de ce mariage? Tu te retrouverais Gros-Jean comme devant!

Simon appuya ses cheveux bruns et frisés contre les pierres du mur et éclata de rire.

— Quoi! après trente ans de mariage avec ma tante Isabelle et Dieu sait combien d'aventures avec je ne sais combien de dames, hors des sacrements de l'Eglise, sans... aucun enfant? Mon ami, si sa semence n'est pas encore épuisée, malgré ses appétits, c'est moi qui mangerai le fruit! Mon héritage n'a rien à craindre, je ne cours aucun danger. J'ai vingt-cinq ans et lui approche de la soixantaine. Je peux attendre!

Il se redressa avec rapidité :

— Regarde! Les voilà!

Mais Joscelin avait déjà aperçu les premiers chatoiements de couleurs et de mouvements sur la route et s'était immobilisé pour mieux voir. Godfrid Picard et sa suite arrivaient à vive allure, pressés de gagner l'abri hospitalier de l'abbaye. Simon desserra son étreinte, sentant Joscelin s'éloigner de lui.

— Pour l'amour de Dieu, ami, à quoi bon? Elle n'est pas pour toi!

Mais il soupira devant l'inutilité de sa remarque que Joscelin n'entendit même pas.

Le cortège passa. Les deux carnassiers aux côtés d'Iveta la dominaient, minces, subtils et cupides, la tête haute et arrogante, mais les sourcils froncés et le visage pincé, comme s'il s'était déjà passé quelque chose qui leur eût déplu. Et entre eux se tenait l'adolescente, image pâle du désespoir sous une enveloppe d'or, ses yeux dévorant son visage maigre, ses yeux aveugles ne regardant rien, ne voyant rien, jusqu'à ce qu'elle s'approchât et là, soudain, quelque chose – Joscelin voulut croire que ce fut sa proximité et son ardeur – la troubla, la fit frissonner et diriger son regard vers un point où elle osait à peine tourner la tête, là où il se trouvait. Il n'était pas certain qu'elle l'eût vu, mais il était sûr qu'elle le savait là, qu'elle avait pressenti, senti et respiré sa présence alors qu'elle passait entre ses gardes. Elle ne commit pas l'erreur de changer l'immobilité soumise de son visage ; mais au passage, elle porta la main droite à sa joue, l'y tint un moment et la laissa retomber.

– Je crois vraiment, soupira Simon Aguilon, ramenant son ami dans la cour, que tu n'as pas renoncé, même à présent. Pour l'amour de Dieu, qu'espères-tu ? Dans deux jours, elle sera Milady Domville.

Joscelin garda le silence et songeant à la main levée, sut dans son cœur que ses doigts à elle lui avaient touché les lèvres et que c'était là plus qu'ils n'en n'étaient jamais convenus, tous les deux.

Toute l'hôtellerie de l'abbaye, à part les communs, avait été réservée à Messire Godfrid Picard et à ses invités. Dans l'intimité de leur chambre, Agnès Picard tourna vers son époux un visage anxieux.

– Son calme ne me plaît pas. Je n'ai pas confiance en elle.

Il haussa les épaules dédaigneusement.

— Vous vous inquiétez trop. Elle a abandonné la bataille. Elle est complètement soumise. Que peut-elle faire ? Daniel a ordre de ne pas la laisser franchir le portail et Walter surveille la porte de l'église qui donne sur la paroisse. Il n'y a aucune autre sortie, à moins qu'elle ne trouve un moyen pour voler au-dessus du mur ou sauter par-dessus la Meole. Il n'y a pas de mal à la surveiller de près même à l'intérieur de l'abbaye, mais pas de trop près pour ne pas attirer l'attention. Mais je suis sûr que vous vous trompez. Cette petite souris timorée n'aura pas le courage de se redresser à l'autel et de déclarer que le mariage se fait contre sa volonté.

— Encore heureux, dit la dame d'un ton sinistre. Il paraît que l'abbé Radulf a une haute idée de ses droits et de ses prérogatives, et qu'il ne craint pas les barons qui enfreignent sa loi. Mais j'aimerais être aussi sûre de la docilité d'Iveta que vous.

— Vous vous inquiétez trop, mon amie. Il suffit de l'amener à l'autel et elle récitera sa leçon sans faire de façons.

Agnès se mordit la lèvre, nullement convaincue.

— Oui, peut-être ; mais, malgré tout, je voudrais que tout soit terminé. Je respirerai mieux quand ces deux jours seront passés.

Dans l'herbarium de Frère Cadfael, Frère Oswin, l'air penaud, raclant les pieds, croisa ses larges mains, pleines de bonne volonté mais d'une maladresse catastrophique. Cadfael examina la pièce avec appréhension, pressentant une mauvaise nouvelle, bien que cela fût déjà un progrès si le garçon se rendait compte qu'il avait fait quelque chose d'absurde, sans qu'on le lui signalât. La plupart des objets semblaient être à leur place. Le brasero brûlait doucement; il n'y avait pas d'odeur suspecte, les liqueurs dans leurs ballons frémissaient comme à l'habitude.

Frère Oswin fit son rapport consciencieusement, recueillant toutes les louanges possibles avant que le coup ne tombe.

— Le frère infirmier est venu chercher les élixirs et les poudres. Et j'ai porté au frère prieur le stomachique que vous aviez fait pour lui. Les trochées que vous aviez laissées sécher devraient être prêtes maintenant, je pense; quant aux herbes séchées pour la décoction dont vous aviez parlé, je les ai moulues en une fine poudre qui pourra servir dès demain. Mais...

Venait la mauvaise nouvelle, à présent, accompagnée de son regard de reproche et d'étonnement qu'une bonne intention, entreprise avec tant de confiance, se retournât ainsi contre lui.

— Mais il s'est passé quelque chose d'étrange... Je ne comprends pas comment cela a pu arriver; le pot devait être fendu, bien que je n'y aie vu aucun défaut. Le sirop que vous aviez laissé bouillir... j'y ai fait bien attention, je suis sûr de l'avoir retiré du brasero quand il avait la bonne consistance et je l'ai remué comme vous me l'aviez dit. Vous vous rappelez que vous aviez dit qu'il le fallait rapidement pour le vieux Frère Francis qui est si malade des poumons... J'ai voulu le refroidir en vitesse pour le mettre en flacons à votre place. J'ai donc retiré le pot du feu et l'ai plongé dans un bol d'eau froide...

— Et le pot a éclaté, acheva Cadfael, l'air résigné.

— Il s'est partagé en deux grands morceaux, reconnut Oswin, abasourdi et peiné, et tout le miel et les herbes sont tombés dans l'eau. Une chose extraordinaire! Saviez-vous que le pot était fendu?

— Mon fils, le pot était aussi solide qu'un roc; c'était un de mes meilleurs, mais ni lui ni un autre ici ne sont faits pour être retirés du feu et plongés immédiatement dans de l'eau froide. L'argile ne supporte pas un changement aussi brusque, elle se rétrécit et se brise. Et à ce sujet, rappelle-toi qu'il en va de même pour les fioles de verre, s'empressa d'ajouter Cadfael. Si on veut y verser un liquide chaud, on doit d'abord réchauffer les fioles. Ne fais jamais passer de la matière directement du froid au chaud, ni du chaud au froid.

— J'ai tout nettoyé, dit Oswin d'un air contrit, et jeté les débris du pot, aussi. Mais quand même, je suis sûr qu'il devait être fendu... Je suis désolé que le sirop soit perdu et je reviendrai après souper pour en faire un autre.

« Dieu nous en préserve! » pensa Cadfael en réussissant à ne pas le dire tout haut.

— Non, mon fils! ajouta-t-il fermement, ton devoir est d'aller à la Collation et d'observer la Règle. Je m'occuperai du sirop moi-même.

Ses pots devraient dorénavant être protégés des excellentes intentions de Frère Oswin.

— A présent, va te préparer pour les Vêpres.

C'est ainsi que le dernier exploit de Frère Oswin dans l'herbarium força Cadfael à y retourner ce soir-là, après souper; ainsi se trouva-t-il mêlé à tous les événements qui advinrent.

CHAPITRE 2

Messire Godfrid Picard et son épouse se rendirent aux Vêpres en grande pompe, Iveta de Massard cheminait, minuscule entre eux, comme un agneau mené au sacrifice. Une servante âgée, au visage dur, portait le missel de Dame Picard et un valet suivait Messire Godfrid. L'adolescente avait ôté ses beaux atours et était très simplement vêtue de sombre, un voile couvrant sa chevelure d'or. Debout ou agenouillée, elle demeura pendant la messe les yeux baissés, le visage pâle et fermé. De sa place parmi les Frères, Cadfael l'observait avec curiosité et compassion, et plus il la regardait, plus il s'interrogeait. Quelle parenté pouvait-elle avoir avec le Croisé qui avait été une légende de son vivant mais qu'avait oublié la génération actuelle? Un Croisé mort depuis près de quarante ans et bien mort?

A la fin des Vêpres, comme les moines sortaient pour aller souper, Iveta se leva, s'élança, mains jointes, dans la chapelle Notre-Dame et tomba à genoux devant l'autel. Il sembla à Cadfael qu'Agnès Picard l'aurait bien suivie, mais son époux la retint d'une pression de la main : le prieur Robert Pennant, toujours empressé envers cette noblesse normande dont il était issu, s'avançait vers eux, les cheveux argentés et l'air majestueux pour leur proposer fort courtoisement une invitation qu'ils ne pourraient guère refuser. La dame jeta un coup d'œil perçant à la silhouette recueillie de sa nièce, apparemment plongée dans de ferventes prières, et cédant gracieusement, sortit au bras de son époux, aux côtés du prieur.

Cadfael soupa très rapidement avec les Frères, encore troublé par les événements de la journée contre lesquels, malheureusement, toutes ses herbes étaient impuissantes. Au fond, c'était une bonne chose que, grâce à l'optimisme illimité de Frère Oswin, il eût une tâche bien précise pour l'occuper toute la soirée.

Iveta resta à genoux jusqu'à ce que tout fût silencieux et que la voix du prieur, empressée et attentive, se fût éteinte au loin. Alors, elle se leva furtivement et alla jeter un coup d'œil prudent par la porte Sud qui donnait sur le cloître. Le prieur Robert avait entraîné ses invités dans le jardin pour leur faire admirer les dernières roses — si bien soignées — de la saison. Ils lui tournaient le dos et il n'y avait personne dans la galerie Ouest. Relevant ses jupes et faisant appel à tout son courage (elle seule savait avec quel héroïsme et quel faible espoir !), elle courut jusqu'à la grande cour, pareille à une souris terrifiée poursuivie par des chats ; là, elle regarda désespérément autour d'elle.

Elle ne connaissait pas du tout cette enclave où elle pénétrait pour la première fois, mais entre l'hôtellerie et le logis abbatial, elle aperçut le vert des haies bien taillées bordant une allée étroite, et derrière celle-ci, le sommet oscillant des arbres. C'était là que devaient être les jardins, sans nul doute déserts à cette heure. C'était là, quelque part, qu'il lui avait promis de l'attendre et elle, en passant devant lui, avait fait le signal convenu, lui indiquant qu'elle ne manquerait pas au rendez-vous. Pourquoi avoir agi ainsi ? Cela ne pouvait être, au mieux, qu'un adieu. Pourtant elle s'y précipitait avec cette énergie du désespoir qu'elle aurait dû manifester avant qu'il fût trop tard. Elle était déjà solennellement fiancée, liée par un contrat presque aussi indissoluble que le mariage lui-même. Il semblait plus facile d'échapper à la vie qu'à ce marché !

Les épaisses murailles de verdure l'entourèrent, pénombre dans la pénombre. Elle reprit son souffle et ralentit, incertaine de la direction à prendre. L'allée à sa droite courait entre l'arrière de l'hôtellerie et les étangs de l'abbaye, et au-delà du second étang, un petit pont enjambait le bief du moulin près de l'écoulement des eaux et conduisait à une porte découpée dans un mur de moellons. Avec un mur de plus entre elle et d'éventuels poursuivants, elle se sentait incontestablement plus en sécurité ; curieusement, elle tirait calme et réconfort des effluves doux et épicés qui montaient vers elle lorsque sa robe effleurait les plantes. Romarin, lavande, menthe et thym, toutes sortes d'herbes emplissaient le jardin de senteurs aromatiques, un peu passées à présent que l'automne était là, elles s'apprêtaient à s'endormir de leur sommeil hivernal. Leurs meilleures pousses, celles de l'été, avaient déjà été récoltées.

Une main, surgie de derrière une tonnelle près

du mur, prit sa main; une voix murmura hâtivement :

— De ce côté, vite! Il y a une cabane dans le coin... une herboristerie. Suivez-moi! Personne ne viendra nous y chercher.

Toutes les fois qu'elle avait pu être près de lui, instants trop brefs et trop rares! elle avait été surprise et rassurée par sa forte carrure, par sa tête qui la dominait, par sa large poitrine et ses épaules carrées, par ses longs bras, ses hanches étroites et souples, comme si son ombre enveloppante pouvait, telle une tour, la protéger de tous les dangers. Mais elle savait qu'il n'en était pas ainsi et qu'il était aussi infortuné et vulnérable qu'elle, et cette seule idée la faisait trembler encore plus pour lui que pour elle. Les seigneurs de haut rang, lorsqu'ils sont défiés, peuvent très facilement briser de jeunes écuyers, quand bien même ceux-ci seraient grands, forts et rompus au maniement des armes.

— Quelqu'un peut venir, chuchota-t-elle en s'agrippant à sa main.

— A cette heure-ci? Personne. Ils sont au souper à présent et se rendront ensuite à la salle capitulaire.

Passant sous l'avant-toit où bruissaient les herbes séchées il l'entraîna à l'intérieur de la cabane, dont le bois gardait la chaleur, où le verre étincelait sur les étagères et où le brasero, alimenté pour brûler doucement jusqu'à ce qu'on en ait besoin, n'était qu'un petit œil rougeoyant dans la pénombre. Il laissa la porte ouverte, comme il l'avait trouvée. Il valait mieux ne rien déplacer pour ne pas révéler leur intrusion.

— Iveta! Vous êtes venue! Je craignais que...

– Vous saviez que je viendrais!

– ... Je craignais que vous ne soyez surveillée de trop près et continuellement. Écoutez-moi bien, car nous n'avons que peu de temps. Vous ne serez pas, je le jure, vous ne serez pas livrée à ce rustre de vieillard! Demain, si vous me faites confiance, si vous voulez vous enfuir avec moi, revenez ici à la même heure...

– Oh, mon Dieu! dit-elle en gémissant doucement. Pourquoi feindre de croire que la fuite est possible?

– Mais elle l'est! elle doit l'être! insista-t-il avec fougue. Si vous le voulez vraiment, si vous m'aimez...

– Si je vous aime...

Elle était contre lui, ses bras minces enlaçant de leur mieux son corps solide et jeune, lorsque Frère Cadfael, en toute innocence, ses sandales foulant sans bruit l'herbe de ses allées bien tenues, apparut sur le seuil. Surpris, ils se séparèrent brusquement. Il était bien plus étonné qu'eux et à en juger par leur expression, bien moins redoutable que ce qu'ils avaient cru voir à sa place. Iveta recula jusqu'à toucher des épaules la paroi de la cabane. Joscelin, lui, fit face, les pieds solidement plantés près du brasero. Tous deux reprirent leurs esprits avec un courage qui était plus qu'à moitié celui du désespoir.

– Je vous demande pardon! dit placidement Cadfael. Je ne savais pas que des patients m'attendaient. Je suppose que le Frère Infirmier vous aura conseillé de venir me voir, sachant que je travaillerais ici jusqu'à Complies.

Autant leur parler gallois, bien sûr, mais avec un peu de chance, ils sauraient saisir la perche

46

qu'il leur tendait en hâte, tant il est vrai que le désespoir aiguise l'esprit quand il le faut. Car, contrairement à eux, il avait entendu le bruissement de vêtements dans l'allée, le pas rapide et irrité d'une femme qui accourait vers eux. Il se tenait près du brasero, frottant le silex et l'acier pour allumer sa petite lampe à huile, lorsque Agnès Picard apparut sur le seuil, grande et l'air sévère, les sourcils rapprochés en un seul trait ininterrompu.

La mèche une fois allumée et retaillée, Frère Cadfael se retourna pour mettre dans une boîte les trochées qu'Oswin avait laissées à sécher, de petites galettes blanches de poudre carminative liée avec de la gomme arabique. Cela lui permit de garder sereinement le dos tourné à la femme sur le seuil, tout en étant parfaitement conscient de sa présence. Comme, de toute évidence, aucun des jeunes gens n'était encore capable d'émettre une phrase sensée, il continua à parler pour tous.

— C'est certainement la fatigue du voyage, dit-il calmement en refermant la boîte sur ses cachets, qui vous a donné votre mal de tête. Vous avez bien fait de consulter Frère Edmond; on ne doit pas négliger les maux de tête, qui peuvent contrarier un sommeil nécessaire. Je vais vous préparer une potion... ce jeune homme voudra bien attendre quelques instants : je m'occuperai plus tard de ce qu'il faut à son maître...

Joscelin recouvra ses esprits et, restant résolument le dos tourné à la sinistre présence sur le seuil, déclara avec ferveur qu'il attendrait volontiers que Dame Iveta ait tout ce qu'elle désirait. Cadfael prit un gobelet sur une étagère et choisit un flacon parmi toute une rangée. Il était en train de verser la potion lorsque, derrière eux, une voix froide et tranchante comme l'acier s'écria avec autorité : « Iveta ! »

Tous les trois se retournèrent en feignant la surprise innocente de façon assez convaincante. Agnès s'avança dans la cabane, les yeux rétrécis par les soupçons.

– Que faites-vous ici ? Je vous ai cherchée partout. Tout le monde vous attend pour le souper.

– Mademoiselle votre nièce, madame, dit Cadfael, devançant ce que la jeune fille aurait pu se forcer à dire, souffre d'un malaise banal causé par la fatigue du voyage, et le Frère Infirmier lui a conseillé avec raison de venir chercher un remède ici.

Il tendit le gobelet à Iveta qui le prit comme dans un rêve. Elle était blême et immobile, on ne lisait dans ses yeux que frustration et peur mêlées.

– Buvez cela maintenant, avant d'aller souper. N'ayez pas peur, cela ne vous fera que du bien.

Et pour cause ! mal de tête ou pas ! C'était, en effet, un de ses meilleurs vins, qu'il gardait pour un petit groupe d'élus, car la quantité annuelle qu'il produisait était limitée. Il eut la satisfaction de voir une faible lueur d'étonnement et de plaisir jaillir, fugitivement il est vrai, dans le regard désespéré d'Iveta. Elle lui rendit le gobelet vide et lui adressa une ombre de sourire. Quant à Joscelin, elle n'osait même pas le voir.

Elle dit d'une petite voix : « Merci, mon Frère, pour votre gentillesse. » Puis, elle s'adressa à celle qui l'observait d'un air sombre et menaçant : « Je suis désolée de vous avoir retardée, ma tante. Je suis prête ! »

48

Agnès Picard ne prononça pas un mot de plus, mais s'écarta pour faire froidement comprendre à Iveta qu'elle devait la précéder hors de la pièce; elle la dévisagea avec dureté et sans ciller lorsqu'elle passa devant elle, puis, avant de la suivre, lança au jeune homme un long regard intense, lourd de menaces. Les apparences étaient sauves, mais il était évident qu'Agnès n'avait pas été dupe un seul instant.

Elles étaient parties, la fiancée et sa geôlière; le bruissement de leurs robes s'était évanoui dans le silence. Il y eut une longue pause durant laquelle les deux hommes échangèrent un regard d'impuissance. Puis Joscelin poussa un profond gémissement et se jeta sur le banc adossé au mur.

— Si seulement cette sorcière pouvait tomber du pont et se noyer dans l'étang! Mais les choses n'arrivent jamais comme elles le devraient. Mon Frère, croyez bien que je vous suis reconnaissant pour votre bonne volonté et votre présence d'esprit, mais je crains que ce ne soit en pure perte. Elle me soupçonne, depuis un certain temps, je pense. Elle trouvera un moyen de me faire payer tout cela.

— Et elle aura peut-être raison, répliqua franchement Cadfael. Dieu me pardonne mes mensonges!

— Vous n'en avez pas dit; car, si elle n'a pas mal à la tête, elle a mal au cœur et c'est pire.

De colère, il se passa les doigts dans son abondante chevelure de lin et appuya la tête contre le mur.

— Que lui avez-vous donné?

D'un geste impulsif, Cadfael remplit le gobelet et le lui tendit.

— Tenez! Cette potion ne pourra pas vous faire de mal. Dieu seul sait si vous l'avez vraiment méritée, mais nous réserverons notre jugement jusqu'à ce que j'en sache plus sur vous.

Favorablement surpris par le goût du vin, Joscelin haussa les sourcils qu'il avait arqués, expressifs et bien plus foncés que les cheveux. Une vie passée au grand air avait donné à son front et ses joues un beau hâle doré et profond, assez rare pour une peau naturellement si claire. Les yeux qui, à présent, jaugeaient Cadfael avec circonspection par-dessus le gobelet étaient d'un bleu aussi lumineux que les bleuets d'un champ de blé et tels que se les rappelait Cadfael depuis leur rencontre à Saint-Gilles. Il ne lui faisait pas l'effet d'être un menteur ou un séducteur, plutôt un écolier trop vite grandi, honnête, impatient, intelligent à sa façon et probablement dépourvu d'une once de sagesse. L'intelligence et la sagesse ne vont pas forcément de pair.

— C'est le meilleur remède que j'aie jamais goûté. Vous avez été d'une générosité inouïe pour nous, aussi inouïe que votre rapidité à nous tirer d'affaire, dit le jeune homme, rassuré et désarmé. Pourtant, vous ne saviez rien de nous, vous ne nous aviez jamais vus!

— Si! Je vous avais déjà vus, rectifia Cadfael. (Il se mit à doser différentes fleurs pectorales dans un mortier et prit un petit soufflet pour raviver le brasero.) J'ai un sirop à préparer avant Complies. Vous m'excuserez si je me mets au travail.

— C'est moi qui vous gêne. Je suis désolé. Je vous ai déjà assez dérangé.

Mais il ne voulait pas s'en aller! Il en avait tant sur le cœur qu'il lui fallait s'épancher. Et il ne pouvait se confier qu'à un inconnu courtois qu'il ne reverrait peut-être jamais.

– Puis-je rester?

– Bien sûr, si cela vous est possible. Car vous êtes au service de Huon de Domville et ce service, j'imagine, doit être contraignant. Je vous ai vu passer devant Saint-Gilles; j'ai aperçu la demoiselle également.

– Vous étiez là? Le vieillard... il n'a pas été blessé?

Que Dieu bénisse le garçon! son inquiétude n'était pas feinte. Il avait beau être plongé dans les ennuis jusqu'au cou, il pouvait encore s'indigner de l'affront fait à la dignité d'autrui.

– Il n'a été atteint ni dans son corps, ni dans son esprit. Ses semblables vivent dans une humilité qui transcende toute possibilité d'humiliation. Accorder de l'importance à un coup de fouet? Il est bien au-dessus de cela.

Joscelin délaissa suffisamment ses propres préoccupations pour s'enquérir avec curiosité: « Et vous étiez là, parmi eux... parmi ces gens-là? Vous... pardonnez-moi si je vous offense, c'est sans le vouloir!... vous n'avez pas peur de les côtoyer? d'être contaminé? Je me suis souvent posé la question: il y a bien quelqu'un qui les soigne. Je sais qu'ils sont obligés de vivre à l'écart, et pourtant ils ne peuvent pas être entièrement coupés du reste de l'humanité. »

– Ce qu'il y a avec la peur, dit Cadfael d'un ton réfléchi, c'est qu'elle n'a pas de raison d'être. Lorsque nécessité fait loi, on oublie de trembler. Refuseriez-vous de saisir la main d'un lépreux si vous ou lui en aviez besoin, pour échapper à un danger? J'en doute. Certains, peut-être, mais pas vous. Vous agripperiez cette main d'abord et réfléchiriez ensuite, et avoir peur alors serait une perte de temps évidente. Vous n'avez pas à servir votre maître à table ce soir, n'est-ce pas? Non? Alors restez et parlez-moi de vous, si vous en avez envie. Vous me devez au pire des excuses et au mieux des explications pour avoir pénétré ici sans y être invité.

Mais cet intrus indiscipliné ne lui déplaisait pas. Presque distraitement, Joscelin lui avait pris le soufflet des mains et ravivait le brasero.

– Nous sommes trois écuyers, commença pensivement le jeune homme. Simon le sert à table ce soir, Simon Aguilon, le fils de sa sœur; et Guy FitzJohn, le troisième, est de service, lui aussi. Je n'ai pas besoin de rentrer encore. Vous ne savez rien de moi et je crois que vous vous demandez si vous avez bien fait d'essayer de nous aider. J'aimerais que vous ayez une bonne opinion de moi. Je suis sûr que vous ne pensez que du bien d'Iveta. (Il se rembrunit à la mention de ce nom et regarda lugubrement le feu qu'il avait ranimé.) Elle est... (Il lutta contre son adoration et éclata d'un ton rebelle :) Non, elle n'est pas perfection; comment le pourrait-elle? Depuis l'âge de dix ans, elle est sous la tutelle de ces deux-là. Si vous étiez à Saint-Gilles, vous les avez vus. L'encadrant comme des dragons! Sa perfection a été brisée, déformée depuis longtemps. Mais si elle était libre, elle redeviendrait elle-même; elle serait brave et noble comme ses ancêtres. Et alors, cela ne me ferait rien, ajouta-t-il, dirigeant son regard incroyablement bleu et lumineux vers Cadfael, si

elle en choisissait un autre! Non, c'est faux...
Cela me peinerait infiniment, mais je le supporterais et serais content malgré tout. Mais cela, ce vil marché, cette souillure, cela, je ne l'accepterai pas!

– Attention au soufflet! Là, retirez-le, vous avez assez ravivé le feu. Posez-le sur la pierre là-bas. C'est bien, mon garçon. Nom pour nom, c'est la coutume. Je m'appelle Cadfael, suis moine gallois en cette abbaye et natif de Trefriw.

Cadfael malaxait du miel et un filet de vinaigre dans ses herbes en poudre tout en faisant chauffer son pot.

– Et vous, qui êtes-vous?

– Mon nom est Joscelin Lucy; mon père, Messire Alan Lucy, est maître de deux manoirs du Hereford et m'a envoyé comme page auprès de Domville à l'âge de quatorze ans, comme le veut la coutume, pour apprendre le métier d'écuyer dans une maison plus noble. Je ne dirais pas que mon seigneur ait été très dur à servir. Je n'ai pas à me plaindre, en ce qui me concerne. Mais ses métayers, ses vilains et ceux qui tombent sous sa justice... (Il hésita.) Je suis instruit, je sais lire le latin, je suis allé à l'école monastique et j'en ai gardé quelque chose. Je ne dis pas que mon maître soit pire qu'un autre, mais Dieu sait qu'il n'est pas mieux. J'aurais prié mon père de m'envoyer auprès d'un autre seigneur si...

Si Domville n'avait pas entrepris de faire la cour – pour user d'une appellation plus digne – à l'héritière des Massard; si le jeune homme n'avait jamais vu, admiré et été conquis par cette frêle créature délicate et innocente, entourée de ses deux dragons. Là où le seigneur avait ses entrées

– où qu'elle se trouvât – les écuyers entraient également, même si la distance entre eux et elle ne leur laissait aucun espoir.

– En restant à son service, continua le jeune homme, se débattant contre les complications d'une situation inextricable, je pouvais au moins la voir. Si je le quittais, comment jamais m'approcher d'elle ? Je suis donc resté. Et je m'efforce vraiment de le servir honnêtement, puisque je l'ai juré. Mais, Frère Cadfael, est-ce juste ? Est-ce bien ? Pour l'amour de Dieu, elle a dix-huit ans et n'éprouve que répulsion pour lui, et pourtant, d'après ce que je vois, il a mieux à offrir que ce qu'elle vit actuellement. Elle n'est pas heureuse et ne peut espérer l'être dans son mariage. Et moi, je l'aime. Mais cela, ce n'est qu'un détail ; un détail qui serait sans importance si elle, elle pouvait être heureuse.

– Hum ! dit Cadfael avec un léger scepticisme, en remuant la potion qui frémissait dans le pot et commençait à remplir la cabane d'une odeur sucrée et entêtante. C'est ce qu'a juré plus d'un amoureux qui ne perdait pas de vue son propre intérêt, pour autant. Je suppose que vous allez me dire que vous êtes prêt à mourir pour elle.

Le visage de Joscelin s'éclaira soudain d'un sourire de petit garçon.

– Pas de très bon cœur ! Je préférerais vivre pour elle, si cela peut s'arranger. Mais vous voulez savoir si je ferai tout ce qui est en mon pouvoir pour la rendre libre de prendre un époux de son choix ? eh bien oui, je le ferai. Car elle ne veut pas de cette union ; elle la redoute et la hait ; on l'y force au mépris complet de sa volonté.

Ce n'était pas la peine de le souligner ; le visage

et l'attitude d'Iveta disaient tout à qui les effleurait.

– Et ceux qui devraient le mieux veiller et œuvrer pour elle se servent d'elle dans leur propre intérêt et rien d'autre. Sa mère, la sœur de Picard, est morte en la mettant au monde, et son père lorsqu'elle avait dix ans; on l'a placée en tutelle auprès de son oncle, qui était son parent le plus proche, ce qui est assez naturel, mais ces parents se sont révélés dénaturés! Oh! je ne suis pas assez aveugle pour ignorer qu'il n'y a rien de nouveau à ce qu'un tuteur détourne les biens de sa pupille à son profit, au lieu de faire bénéficier cette dernière de ses propres ressources, ni à ce qu'il pille ses terres au lieu de les faire fructifier. Je vous le dis, Frère Cadfael, Iveta est vendue à mon maître par ses tuteurs pour la voix et la position qu'il a auprès du roi et pour leur propre avancement dans son ombre, et même pour plus que cela. Elle possède de vastes domaines. Elle est la dernière des Massard. Tous leurs biens sont livrés avec sa main. Et je soupçonne que le marché qu'ils ont conclu va aboutir au partage de ce qui fut les terres d'un héros. Une grande partie restera certainement à Picard et une partie de ce qu'elle apporte à Domville a dû être pressurée pendant des années avant d'être cédée. Une très bonne affaire pour tous les deux, mais une injustice criante en ce qui concerne Iveta.

Et chaque mot pouvait se révéler vrai, malheureusement. Cela arrivait lorsqu'une enfant devenait orpheline et héritait de grands domaines. Même quand c'était un garçon, pensa Cadfael, assez jeune et sans protecteur, il pouvait être marié, concluant une alliance très profitable pour son tuteur, aussi habilement et inéluctablement qu'une fille, et ce pour réunir des terres bonnes à exploiter ou pour contrer un rival, mais avec une fille, la chose était plus fréquente et moins remise en question. Non, aucun dignitaire entre roi et baron ne lèverait le petit doigt pour changer le sort d'Iveta. A part, peut-être, un jeune fou téméraire comme celui-ci, au risque de se nuire ainsi qu'à elle.

Cadfael ne lui demanda pas ce qu'ils se chuchotaient lorsqu'il les avait surpris, enlacés. Malgré sa frustration et sa colère, le jeune Lucy avait encore quelque atout, un faible espoir qu'il gardait en réserve; cela, c'était sûr. Il valait mieux ne rien demander, ne pas le laisser tout dire, même s'il le désirait. Mais il y avait une précision que Cadfael voulait connaître. « La dernière des Massard », avait dit Joscelin.

— Comment s'appelait son père? demanda-t-il, remuant sa potion qui épaississait et qu'il mettrait à refroidir avant Complies.

— Hamon FitzGuimar de Massard.

Il prononça le patronyme avec fierté et cérémonie. Il existait encore des jeunes apparemment à qui l'on avait appris le respect dû aux grands noms des disparus.

— Son aïeul était ce Guimar de Massard qui participa à la prise de Jérusalem et mourut de ses blessures après avoir été capturé à la bataille d'Ascalon. Elle a son heaume et son épée. Pour elle, ce sont des trésors. Les Fatimides les ont renvoyés après sa mort.

Oui, ils les avaient renvoyés par respect pour un ennemi courageux. On leur avait demandé aussi de renvoyer son corps déposé dans une tombe temporaire, et ils avaient accueilli favorablement cette requête, mais les chefs des Croisés, par suite de leurs querelles périodiques, avaient laissé passer leur chance de s'emparer du port d'Ascalon, et les négociations pour le retour du corps du paladin avaient été négligées et abandonnées. Des ennemis chevaleresques l'avaient enterré avec tous les honneurs, et il reposait là-bas. Cela s'était passé il y avait très longtemps, bien avant la naissance de ces jeunes gens.

– Je m'en souviens, dit Cadfael.

– Et à présent, c'est une grande infamie de traiter ainsi la dernière héritière d'une telle lignée et de la rendre si malheureuse!

– C'est vrai, acquiesça Cadfael en enlevant le pot du feu et en le posant à l'écart, sur le sol de terre battue.

– Mais cela ne doit pas continuer, affirma Joscelin avec emphase. Cela ne continuera pas! (Il se leva en poussant un grand soupir.) Je dois partir, il n'y a rien à faire.

Jetant un coup d'œil aux rangées de flacons et de cruches et aux touffes d'herbes séchées suspendues qui offraient à l'herboriste tant de possibilités, il s'enquit :

– N'avez-vous rien parmi toutes ces merveilles que je pourrais glisser dans la coupe de mon maître? Dans la sienne ou dans celle de Picard, peu importe? Que l'un ou l'autre disparaisse de la surface de la terre et Iveta serait libre... et le monde meilleur.

– Si vous parlez sérieusement, mon garçon, dit Cadfael avec fermeté, votre âme est en péril. Et si c'est une plaisanterie, vous méritez une bonne correction. Si vous n'étiez pas aussi costaud, je m'en chargerais bien.

Le sourire éclatant apparut et disparut en un instant, chaleureux bien que triste.

– Je pourrais m'abaisser, murmura-t-il.

– Vous savez aussi bien que moi, mon enfant, que vous répugneriez à d'aussi viles méthodes que le meurtre et vous vous causez du tort à parler sans réfléchir.

– Vraiment? dit doucement Joscelin, ne souriant plus du tout à présent. Vous ne savez pas, Frère Cadfael, jusqu'où je pourrais mettre mon âme en péril pour sauver Iveta.

Cadfael y repensa tout au long des Complies et, plus tard, dans le chauffoir, pendant la demi-heure paisible qui précédait le coucher. Bien sûr, il n'y avait rien eu d'autre à faire qu'à semoncer vertement le jeune homme, à lui dire avec fermeté et conviction qu'il devait abandonner tous ces noirs desseins, dont rien de bon ne pouvait sortir. Seuls des actes dignes d'un chevalier lui étaient permis, puisqu'il était destiné à être chevalier. Il devrait, il devrait renoncer à tous les autres. L'ennui, c'était que le jeune homme avait démontré un solide bon sens en rétorquant qu'il serait un imbécile de défier son maître en combat singulier, d'après les lois de la chevalerie, puisque Domville ne considérerait même pas sérieusement une telle impertinence, mais se contenterait de le chasser de sa maison et de s'en débarrasser. Et dans ce cas-là, comment porter secours à Iveta?

Mais cela signifiait-il qu'il était vraiment capable d'envisager un meurtre? Cadfael ne le croyait pas, se rappelant le visage hâlé et ouvert, peu apte à dissimuler, et le caractère impétueux, incompatible avec des démarches tortueuses. Et pourtant, il y avait cette frêle miniature dorée au minois triste et résigné et aux yeux vides, à deux jours d'un mariage exécré, dont l'accomplissement entraînait des conséquences assez lourdes pour exiger, sinon justifier une mort ou deux.

L'urgence de la situation touchait Cadfael tout autant que Joscelin. Car il s'agissait de la petite-fille de Guimar de Massard, privée de toute sa famille à l'exception de ses deux dragons de gardiens. Comment laisser à son triste destin la dernière des Massard sans que ne lèvent le petit doigt tous ceux qui avaient connu son aïeul et en vénéraient la mémoire? Autant abandonner un camarade blessé et encerclé sur le champ de bataille!

Dans le chauffoir, Frère Oswin s'approcha timidement de Cadfael.

— Le sirop est-il déjà prêt, mon Frère? J'ai fait une erreur, laissez-moi la réparer. Je me lèverai tôt demain et le mettrai en flacons pour vous. Je vous ai causé du souci en plus, je dois me racheter.

Il était, en effet, la cause de plus de souci qu'il ne s'en doutait et de plus de perplexité, mais au moins, il avait rappelé Cadfael à son devoir premier, après, bien sûr, l'obéissance à la Règle.

— Non, non, se hâta de dire Cadfael. Le sirop a bien bouilli; il refroidira et épaissira cette nuit; il sera bien temps après Primes de le mettre en flacons. C'est toi le lecteur demain, tu dois suivre strictement les offices et ne t'occuper que de ta lecture.

« Et laisser mon sirop tranquille », pensait-il, en se dirigeant vers sa cellule et ses prières. Il s'avisa soudain que les mains de Frère Oswin et celles de

Joscelin étaient de la même taille ; mais les unes brisaient tout ce qu'elles touchaient alors que les autres montraient une dextérité extrême à tenir soit les rênes d'un cheval pommelé, une épée ou une lance, soit encore la taille souple d'une adolescente au cœur lourd... ou alors, le cas échéant, et avec une égale habileté, l'arme d'un crime ?

Cadfael se leva bien avant Primes le lendemain matin et s'en fut mettre en flacons son sirop de la veille avant d'en porter à Frère Edmond à l'infirmerie. Le jour s'était levé, brumeux et doux, sans un souffle de vent et, dans l'air immobile, les sons étaient étouffés, les mouvements adoucis. La grande cour offrait le spectacle ordinaire des activités quotidiennes entre Primes et le petit déjeuner, depuis la première messe pour les serviteurs et les artisans jusqu'à la deuxième messe, suivie du Chapitre, écourté et rapidement mené en cette occasion, à cause de tous les préparatifs du mariage du lendemain. Il y eut donc un intervalle assez long consacré au repos avant la grand-messe de dix heures et Cadfael en profita pour retourner à son jardin de simples, et pour noter, en vue du travail de Frère Oswin dans l'après-midi, les tâches qui lui semblaient les moins menacées par ses bonnes intentions dévastatrices. L'automne était une saison rêvée, puisqu'il fallait bêcher et préparer le terrain ainsi nettoyé pour les gelées à venir.

Cadfael revint dans la grande cour avant dix heures, alors que les moines, les élèves, les invités et les bourgeois commençaient à s'assembler pour la grand-messe. Les Picard sortaient justement de l'hôtellerie ; Iveta, petite et silencieuse, semblait perdue entre son oncle et sa tante, mais paraissait résolument calme, pensa Cadfael, comme si une faible brise revivifiante avait agité la lourde immobilité de son désespoir et lui avait donné le courage au moins d'espérer en un miracle. La servante d'âge mûr, au visage aussi revêche que celui d'Agnès, la suivait de près. L'adolescente était bien entourée de tous les côtés.

Le groupe se dirigeait sans hâte vers le cloître et le portail Sud, accompagné de Frère Denis, l'hospitalier, lorsque leur tranquille ordonnance fut brutalement troublée par un martèlement furieux de sabots à la porterie et que l'on vit surgir au grand galop un cavalier montant un cheval pommelé et allant si vite qu'il faillit renverser le portier – et que devant lui s'égaillèrent les serviteurs comme des poules devant le renard. Faisant tourner brusquement sa monture dont les sabots glissèrent sur les pavés humides, le cavalier jeta la bride sur le cou de l'animal et en descendit d'un bond, ses cheveux de lin ébouriffés et ses yeux bleus étincelant pour se planter carrément devant Godfrid Picard, les jambes écartées et les mâchoires serrées, l'image même d'un jeune homme habité par une rage folle.

– Messire, c'est à vous que je dois cela! Je suis renvoyé de mon service, chassé sans raison et sans faute de ma part, chassé sans rien d'autre que mon cheval et mes sacs et avec ordre de quitter la ville avant ce soir! Et cela promptement et sans qu'on entende ma défense! Et je sais bien à qui je dois cette faveur! C'est à vous, vous qui vous êtes plaint de moi à mon maître et m'avez fait chasser comme un chien! Mais j'obtiendrai de vous réparation pour cette faveur, d'homme à homme, avant de laisser Shrewsbury derrière moi!

CHAPITRE 3

Comme une pierre jetée dans une mare tranquille, cette violente intrusion provoqua des remous jusqu'à la porterie, l'hôtellerie et le cloître. Ignorant l'identité de ce grand jeune homme, Frère Denis lançait des regards hésitants autour de lui ; il ne désirait que ramener le calme dans la cour, mais ne savait absolument pas comment s'y prendre. Picard se retrouva brusquement poitrine contre poitrine ou presque, face à un solide gaillard au visage menaçant. Ses joues, d'abord écarlates, blêmirent d'une rage aussi violente. Il ne pouvait pas avancer, il ne voulait pas s'écarter et, même si ses serviteurs ébahis ne l'avaient pas serré de si près, il n'aurait pas reculé d'un pouce. Les yeux étincelant d'indignation, Agnès s'empara vivement du bras d'Iveta, car la jeune fille s'était élancée avec un faible cri de désespoir, son visage figé dans la soumission rayonnait soudain d'une intense et brève émotion, telle de la glace brisée captant la lumière. Elle aurait tout oublié à cet instant-là, tout sauf ce garçon ; elle aurait bondi à ses côtés sans se cacher et l'aurait enlacé si sa tante ne l'avait tirée en arrière sans aucune douceur, ne l'avait ramenée près d'elle, tout de sombre vêtue et ne l'y avait maintenue d'une poigne de fer. Que ce fût par habitude de se soumettre ou par une présence d'esprit nouvelle, Iveta se fit toute petite et resta immobile, et la lumière, mais non la souffrance, s'éteignit sur son visage. Cadfael s'en aperçut et fut irrémédiablement conquis. Nul être aussi jeune, à peine sorti de l'enfance, n'aurait dû souffrir autant.

Plus tard il se rappellerait cette vision, mais à ce moment précis, il n'avait d'yeux que pour la confrontation entre la folle jeunesse irréfléchie de Joscelin Lucy et la maturité subtile et pleine d'expérience de Godfrid Picard. Le combat n'était pas aussi inégal qu'on aurait pu le croire. Le jeune homme était sûr de son droit, héritier d'un fief respectable, sinon important et, de toute évidence, habile au métier des armes.

— Je ne peux vous demander de vous battre ici, dit-il, haut et clair. (De colère, il avait haussé le ton, comme pour être entendu du héraut dans les lices.) Je vous prie de choisir le lieu et l'heure où nous pourrons nous battre. Vous m'avez causé préjudice. J'ai été chassé par votre faute. Faites-moi réparation et apprêtez-vous à soutenir les accusations que vous avez portées contre moi.

— Insolent! lui jeta Picard dédaigneusement. J'ai envie de lâcher mes chiens plutôt que de te faire honneur en croisant le fer avec toi. Si on te chasse parce que tu t'es montré un misérable paresseux, fourbe, intrigant et irascible, tu l'as bien mérité et tu devrais être heureux que ton maître ne t'ait pas renvoyé à coups de fouet. Tu t'en tires à bon compte. Prends soin de ne pas t'attirer des foudres autrement plus graves. Et maintenant, hors de mon chemin et rentre chez toi, comme on te l'a ordonné.

— Non! déclara Joscelin, les dents serrées. Pas avant d'avoir dit tout ce que j'avais à dire, ici, devant tous ces témoins. Et ce n'est pas un ordre qui me fera partir. Huon de Domville possède-t-il la terre sous mes pieds ou l'air que je respire? Il peut garder l'emploi qu'il m'avait confié, il y a d'autres seigneurs au moins aussi honorables que lui. Mais colporter des calomnies et noircir mon nom, est-ce là bien agir?

Picard laissa échapper un cri inarticulé de rage impatiente et se retourna pour appeler, d'un claquement de doigts impérieux, ses serviteurs dont une demi-douzaine étaient des hommes d'armes robustes et assez âgés pour avoir l'expérience des coups durs. Ils s'avancèrent allégrement et formèrent un demi-cercle autour de Joscelin.

— Emmenez ce vaurien hors de ma vue. La rivière est tout près. Rafraîchissez-lui la cervelle!

Les femmes se reculèrent à grand bruit de jupes, Agnès et la servante entraînant de force Iveta. Les hommes d'armes s'approchèrent, un rictus circonspect aux lèvres, et Joscelin dut faire quelques pas en arrière pour éviter d'être encerclé.

— Restez où vous êtes! avertit-il, le regard étincelant. Que ce couard fasse sa propre besogne, car si vous portez la main sur moi, il y aura du sang versé!

Il s'était tellement laissé emporter qu'il avait mis la main à la garde de son épée et avait sorti la lame de quelques pouces. Cadfael jugea qu'il était temps d'intervenir avant que le jeune homme ne se mît irrémédiablement dans son tort. Comme Frère Denis, il s'apprêtait à séparer les adversaires lorsque, venant du cloître apparut la haute figure du prieur Robert, souverainement mécontent, et du logis abbatial surgit la silhouette rapide et silencieuse, invisible jusqu'alors, mais aussi grande et bien plus intimidante de l'abbé Radulf lui-même, son visage d'oiseau de proie, au regard perspicace, habité à présent d'une colère froide et mesurée.

– Messires! Messires! s'exclama Robert les séparant de ses longues mains élégantes. Vous déshonorez notre abbaye et vous-mêmes. Honte à vous de toucher à vos armes ou de proférer des menaces dans ces murs!

Les hommes d'armes, soulagés, reculèrent et se fondirent dans la foule. Picard bouillait de rage, mais se contrôlait. Joscelin remit prestement son épée au fourreau, mais resta planté là, respirant fortement et refusant de s'apaiser. Ce n'était pas un jeune homme facile à intimider et il était encore plus difficile à réduire au silence. Il effectua un demi-tour qui l'amena face à face avec l'abbé, qui était arrivé sur les lieux de la querelle et observait à loisir les protagonistes, l'air distant, sombre et réfléchi. Il y eut un silence.

– Dans l'enceinte de cette abbaye, dit enfin Radulf sans élever la voix, on ne se querelle pas. Je ne dis pas qu'on n'entende jamais de mot de colère, car nous ne sommes que des hommes. Messire Godfrid, surveillez un peu mieux vos gens. Et vous, jeune homme, touchez seulement à votre garde et vous vous retrouverez dans une cellule de pénitent ce soir.

Joscelin s'inclina et plia le genou en un geste que l'abbé aurait très bien pu trouver purement conventionnel.

– Père abbé, je vous demande pardon! Menacé ou non, j'étais en faute.

En reconnaissant sa faute, il gardait entière sa colère. Un observateur attentif aurait même pu se demander s'il ne voyait pas certains avantages à offenser de nouveau et à être jeté, comme promis, dans une cellule de l'abbaye. On peut forcer des serrures, suborner ou berner des frères lais – oui, il y avait là des possibilités. Mais il était désavantagé par son sens de la justice qui lui interdisait d'offenser ceux qui ne l'avaient pas offensé.

– Je m'en remets à votre merci, dit-il.

– Bien, je vois que nous nous comprenons. Quel est le motif de la querelle qui trouble notre paix?

Joscelin et Picard se mirent à parler tous deux en même temps, mais Joscelin, avisé pour une fois, s'interrompit et laissa le champ libre à son aîné. Il se mordait les lèvres d'un air résolu, et observait le visage de l'abbé, tandis que Picard le dépeignait dans les termes méprisants auxquels il s'attendait.

– Père abbé, cet écuyer impertinent a été chassé par son seigneur pour négligence et insolence, et il me reproche d'avoir averti messire Domville, comme j'ai cru de mon devoir de le faire. Car j'ai trouvé qu'il dépassait les bornes, imposant sa présence à ma nièce et semant le trouble de mille manières. Il est venu ici me chercher une mauvaise querelle, vexé par son renvoi si justifié. Il n'a que ce qu'il mérite, mais il ne veut rien admettre. C'est là toute la dispute, conclut-il avec dédain.

Frère Cadfael s'émerveilla de voir Joscelin garder bouche close sous le flot de ces griefs et ne pas cesser de regarder Radulf avec déférence, jusqu'à ce qu'on l'invitât à parler. Pour se contrôler ainsi, il devait avoir acquis en ces quelques moments un profond respect pour la justice et la sagacité de l'abbé. Il était sûr de ne pas être jugé sans être entendu, et cela valait la peine de faire un effort sur soi-même pour mieux assurer sa défense.

– Eh bien, jeune homme? dit Radulf.

On n'aurait pas pu certifier qu'il souriait, son expression restant calme et distante, comme il sied à un juge, mais on aurait pu déceler un soupçon d'indulgence dans sa voix.

– Père abbé, dit Joscelin, nous tous sommes venus assister à un mariage. La fiancée, vous l'avez vue. (Elle avait été rapidement soustraite à leurs regards, entraînée dans l'hôtellerie bien avant la querelle.) Elle a dix-huit ans. Mon seigneur – celui qui était mon seigneur – en a près de soixante. Depuis huit ans, c'est une orpheline, laissée à la garde de son oncle; elle possède de grands domaines qu'administre son oncle depuis longtemps.

La portée de cette digression inattendue commençait à se faire sentir; Picard, fou de colère, se montra soudain volubile. Radulf fronça les sourcils et leva la main pour obtenir le silence. Les deux hommes furent forcés de s'incliner.

– Père abbé! je vous supplie d'aider Iveta de Massard. (C'était le moment attendu par Joscelin qui ne pouvait plus se contenir.) Père abbé, les terres qui lui appartiennent s'étendent sur quatre comtés et cinquante manoirs, c'est la part d'un comte. Ils se les sont réparties entre eux, l'oncle et le fiancé, ils se les sont partagées et elle, elle a été achetée et vendue, sans son accord et volonté. Oh Dieu! elle n'a plus de volonté, elle est totalement soumise, contre sa volonté! Mon offense est que je l'aime et que je l'aurais amenée loin de cette prison...

Les dernières paroles furent perçues par Cadfael qui s'était approché assez près, mais furent inaudibles aux autres, car elles étaient noyées sous une clameur aiguë de protestation, à laquelle Agnès prit la part la plus active. Elle avait une voix qui couvrait toutes les autres ; Joscelin ne pouvait rivaliser avec elle. Mais au milieu de la confusion on entendit soudain un martèlement de sabots à la porterie et des cavaliers en mission officielle pénétrèrent dans la cour en nombre calculé pour en imposer à la vue et l'ouïe. Le fil de la plaidoirie de Joscelin et des protestations de Picard fut brutalement interrompu ; tous les regards se tournèrent vers le portail.

En tête chevauchait Huon de Domville, les muscles du visage durs comme les biceps d'un lutteur, ses petits yeux noirs et vifs brillant d'une lueur mauvaise. Le suivait de près Gilbert Prescote, shérif du roi Étienne pour le Shropshire, chevalier d'âge mûr, au corps sec et maigre, au profil de rapace, à la barbe noire et fourchue parsemée de gris. Il était accompagné d'un groupe impressionnant, d'un sergent et de sept ou huit hommes d'armes ; il leur fit faire halte à l'entrée et, comme eux, descendit de cheval.

— Ah ! il est là ! claironna Domville, son regard foudroyant Joscelin qui restait bouche bée de stupéfaction. C'est ce vaurien ! N'avais-je pas dit qu'il sèmerait le désordre partout où il le pourrait avant de nous débarrasser de sa présence ? Saisissez-vous de lui, shérif ! Emparez-vous de ce misérable et surveillez-le bien !

Tout entier tourné vers sa proie, il ne s'était pas

rendu compte immédiatement que l'abbé lui-même était parmi les présents, et c'est avec un temps de retard que son regard se posa sur l'austère silhouette. Il mit alors pied à terre et se découvrit respectueusement en un geste brusque.

— Avec votre permission, Père abbé! Il nous faut nous occuper d'une sinistre affaire et je suis profondément désolé que ce jeune bon à rien l'ait portée dans ces murs.

— Le genre de troubles qu'il a causés jusqu'ici, rétorqua froidement Radulf, ne me semble pas devoir nécessiter la présence d'un shérif et d'un sergent. Je pense que s'il a eu quelque tort, il en a déjà rendu compte. Le chasser de votre service est votre droit; le poursuivre plus avant semble un peu excessif... à moins que vous n'ayez d'autres griefs envers lui?

Il regarda Prescote qui lui répondit :

— Il y en a d'autres, en effet. J'ai appris par messire Domville que depuis que cet écuyer avait reçu l'ordre de s'en aller, un objet de grande valeur avait disparu. On a tout lieu de croire que cet homme l'a dérobé par dépit et par vengeance. Telle est l'accusation portée contre lui.

Joscelin le toisa, surpris et dédaigneux; cela ne le mettait pas en colère et l'effrayait encore moins.

— Moi, voler? souffla-t-il sur un ton de mépris indicible. Je ne toucherais à rien qui lui appartienne. Je n'aurais même pas voulu emporter la poussière de sa cour à la semelle de mes chaussures. « Va-t'en! » m'a-t-il ordonné et c'est ce que j'ai fait. J'ai quitté sa maison et ne me suis même pas arrêté pour prendre tout ce qui m'appartenait. Tout ce que j'ai emporté est ici sur moi et dans mes sacoches de selle.

L'abbé leva une main apaisante.

— Messire! Quelle chose précieuse a-t-on perdue? De quelle taille? Quand s'est-on aperçu de sa disparition?

— C'est le cadeau de mariage que je destinais à ma fiancée, dit le baron, un collier d'or et de perles. Hors de son écrin, il tient dans le creux de la main. Je désirais l'apporter à la jeune fille aujourd'hui après la messe, mais lorsque j'ai voulu le prendre, j'ai trouvé l'écrin vide. Il y a de cela près d'une heure, du moins je le pense, car nous avons perdu du temps à le chercher partout, quoique l'écrin vide indiquât que le bijou n'avait pas été perdu, mais bien volé. Et à part ce garçon rebelle qui fut chassé à juste titre et le prit fort mal, personne n'a quitté ma maisonnée. Je l'accuse de vol et je veux que la loi soit appliquée dans toute sa rigueur.

— Mais ce jeune homme connaissait-il l'existence de ce collier et l'endroit où il était rangé? demanda l'abbé.

— Oui, mon Père, s'empressa de reconnaître Joscelin. Nous, les écuyers, nous étions au courant tous les trois.

D'autres cavaliers étaient apparus à la porterie, des gens de Domville ayant rattrapé leur retard. Parmi eux Guy et Simon, peu désireux, à en juger par leurs mines, de se faire remarquer et de prendre part à cet affrontement. Ils se tenaient à l'arrière-plan, arborant à juste titre un air indécis et malheureux.

— Mais je ne l'ai pas touché! continua Joscelin fermement. Me voici tel que j'ai quitté votre maisonnée; emmenez-moi et fouillez-moi si vous voulez, vous ne trouverez rien qui ne soit à moi. Et

voici mon cheval et mes sacoches de selle; videz-
les de leur contenu et que le Père abbé soit témoin!
Non! ajouta-t-il sur un ton véhément en voyant
Domville s'avancer vers le cheval gris. Pas vous,
messire! Je ne permettrai pas à mon accusateur de
fourrer les mains dans mes affaires! Qu'un juge
impartial procède à la fouille! Père abbé, j'en
appelle à votre justice!

– C'est une demande raisonnable, dit Radulf.
Robert! Voudriez-vous faire le nécessaire?

Le prieur Robert reçut la requête d'une digne
inclination de tête et s'avança, avec la solennité
d'une procession, pour accomplir la tâche qui lui
était confiée. Deux des hommes de Prescote
défirent les sacoches et lorsque le cheval gris,
affolé par la foule, recula, Simon descendit impul-
sivement de sa monture et courut se saisir de la
bride pour calmer la bête nerveuse. Les sacoches
gisaient ouvertes sur les pavés de la cour. Le prieur
Robert plongea ses mains dans la première et se
mit à sortir les vêtements tout simples et les
affaires personnelles que leur propriétaire en
colère avait entassés sans cérémonie, une heure à
peine auparavant. Le sergent les prenait solennellement, Prescote à ses côtés. Des chemises de lin,
chiffonnées par une main rageuse, des chausses,
des tuniques, des chaussures, quelques pièces de
harnachement, des gants...

Le prieur passa sa longue main à l'intérieur de la
sacoche pour montrer qu'elle était vide. Il se pencha sur la seconde, Joscelin se tenait bien
d'aplomb sur ses longues jambes musclées, à peine
attentif, un sourire arrogant sur son visage hâlé et
audacieux. Bien que sa mère, pensa Cadfael en
observant tout cela, eût quelque remarque vigou-

reuse à lui adresser, lorsqu'il rentrerait chez lui...
(s'il y rentrait!) sur la façon dont il avait rangé les
chemises qu'elle lui avait faites. Et s'il rentrait
effectivement chez lui? Que s'ensuivrait-il pour
l'adolescente qui avait été rapidement entraînée
dans l'hôtellerie et enfermée quelque part avec sa
geôlière, la servante d'âge mûr? Elle était le
témoin manquant. Nul ne lui avait demandé ce
qu'elle savait, ni ce qu'elle pensait. Elle n'était pas
une personne, mais seulement une marchandise
précieuse.

La seconde sacoche révéla un bel habit de cérémonie, vilainement froissé, divers baudriers et
ceintures, un chaperon bleu, d'autres chemises,
des chaussures souples, une bonne paire de
chausses, bleues également. La mère qui avait fait
tout cela avait tendrement pensé aux cheveux
blonds et aux yeux bleus de son rejeton. Et mer-
veille, il y avait un livre à la reliure en bois finement sculptée, le missel du jeune homme. Il avait
bien dit qu'il savait lire.

Enfin, le prieur Robert sortit un petit rouleau de
linge fin et se mit à le dérouler sur sa paume. Il
leva des yeux étonnés et approbateurs.

— C'est un médaillon d'argent en forme de
coquille. Celui qui l'a eu a fait le pèlerinage de
Compostelle, au tombeau de saint Jacques.

— C'est le médaillon de mon père, dit Joscelin.

— C'est tout. Cette sacoche est vide également.

Domville s'élança soudain avec un croassement
de triomphe.

— Ah! mais qu'y a-t-il là, dans ce rouleau de
tissu? J'ai vu quelque chose briller.

Il attrapa le bout pendant du tissu, l'arrachant
presque de la main du prieur. Le médaillon

d'argent tomba, son emballage se défit de quelques pouces; une chose étincela et glissa à terre, se déroulant comme un petit serpent jaune et vint s'échouer en une rivière de beaux chaînons dorés et de perles nacrées sur les pavés, aux pieds de Joscelin.

Il fut si abasourdi qu'il ne trouva rien à dire et resta là à fixer ce petit objet précieux qui le condamnait. Levant enfin les yeux, il croisa les regards intenses où se lisaient, chez Domville, la jubilation, chez le shérif, une sévère satisfaction, chez l'abbé, une tristesse distante et chez tous la même accusation muette. Alors, il trembla violemment, sortant de son immobilité stupéfaite. Il protesta avec véhémence qu'il n'avait pas pris ce bijou, que ce n'était pas lui qui l'avait mis là. Mais il ne cria son innocence qu'une fois, voyant tout de suite le caractère inutile et inconsistant de ses protestations. Soudain lui vint l'idée folle de se battre, mais il l'écarta délibérément, ayant croisé le regard sévère et sans illusions de l'abbé. Pas là! Il s'était juré de respecter ces lieux; là, il ne pouvait que se soumettre. Hors de cette enceinte, ce serait tout autre chose, et plus ils seraient sûrs de sa soumission, moins ils prendraient de précautions gênantes. Silencieux, il n'opposa aucune résistance lorsque le sergent et ses hommes l'entourèrent.

Ils lui enlevèrent épée et poignard et le maintinrent solidement, mais ils ne prirent pas la peine de le ligoter, car ils étaient nombreux et lui, seul, apparemment soumis. Domville resta à l'écart, un sourire vengeur aux lèvres et ne daigna pas se pencher pour ramasser son bien, laissant ce soin à

Simon qui, abandonnant la bride du cheval gris, s'élança pour reprendre le collier et le lui tendre. Ce faisant, il jeta un regard dubitatif et anxieux à Joscelin, mais ne prononça pas un mot. Les Picard regardaient avec une évidente joie mauvaise. Cet importun ne les gênerait plus et si Domville le désirait, ne gênerait plus jamais personne. Un tel vol, avec en plus des signes de trahison, pouvait coûter la vie à un homme, même si celui-ci avait été déjà chassé du service de son maître.

— Je réclame la loi dans toute sa rigueur, dit Domville en lançant un regard impérieux au shérif.

— Il sera traduit en justice, rétorqua sèchement Prescote avant de se tourner vers son sergent. Emmenez-le au château. Je dois parler à messire Godfrid et au Père abbé. Je vous suivrai plus tard.

Le prisonnier se laissa faire, doux comme un agneau, sa tête blonde baissée, ses bras sans force ni résistance sous la poigne de deux robustes hommes d'armes. Moines, invités et serviteurs reculèrent pour lui laisser passage et un silence horrifié succéda à son départ.

Frère Cadfael demeura bouche bée et sans réaction, comme les autres. Certes, il était difficile de reconnaître le jeune homme plein de fougue qui était entré au grand galop dans la cour peu de temps auparavant ou l'amoureux audacieux qui avait pénétré en territoire ennemi pour échafauder un plan désespéré avec une adolescente trop effrayée pour tenter d'obtenir ce que son cœur désirait. Cadfael ne croyait pas en de telles transformations. De façon impulsive, il se dirigea hâtivement vers la porterie pour ne pas perdre de vue le triste cortège. Derrière lui, il entendit Simon

74

demander : « Dois-je ramener son cheval gris dans nos écuries ? Nous ne pouvons pas abandonner cette pauvre bête ; elle, elle n'a causé aucun tort. »

On ne pouvait savoir d'après le ton s'il croyait que le maître de la pauvre bête en avait causé, mais Cadfael ne le pensait pas. Il n'était certainement pas le seul à avoir des doutes sur ce vol.

Joscelin et ses gardes atteignaient le pont lorsque Cadfael sortit sur la Première Enceinte et se hâta à leur suite. La colline de Shrewsbury, avec ses tours et ses maisons couronnant la longue muraille, reflétait par à-coups la lumière humide et faible du soleil derrière les flots gonflés de la Severn, et loin sur la droite dominait la haute masse du château, la prison où se dirigeaient à présent le prisonnier et son escorte. Depuis le milieu de l'été se succédaient de fortes pluies, et les eaux venant du pays de Galles avaient grossi la rivière d'un flot rapide et abondant qui avait englouti les terres basses des îles. La première partie du pont, le pont-levis qui permettait d'interdire à tout moment l'accès à la ville, était abaissée et occupée par une circulation intense, car c'était le temps des dernières récoltes (fruits et racines pour le fourrage), et des provisions hivernales des bourgeois prévoyants. Trois cavaliers précédaient le prisonnier et son escorte, trois autres fermaient la marche, mais Joscelin et ses gardes allaient à pied, pas trop vite – aucun prisonnier normal n'a hâte de voir se refermer sur lui la porte d'une cellule – mais pas trop lentement, non plus, car il était brutalement poussé lorsqu'il ralentissait. Des gens à pied ou en chariot se bousculaient pour les laisser passer et les regarder bouche bée ; certains étaient si intrigués que, sans le faire exprès, ils refer-

...aient le passage immédiatement et barraient ainsi le chemin aux cavaliers de l'arrière-garde. Il y avait eu fréquemment des heurts entre les gens de la ville et le shérif représentant le roi dans le comté, et le sergent de Prescote se gardait de brandir son fouet ou des menaces sur des bourgeois dont la repartie vengeresse s'était quelquefois révélée cinglante. Ce fut pour cette raison que, lorsque les badauds se retournèrent et bloquèrent le passage, après que le prisonnier eut dépassé la tête du pont-levis, les cavaliers de l'arrière-garde se contentèrent de réclamer fort civilement le passage tandis que s'accroissait la distance entre eux et leur prisonnier. Se glissant habilement devant les chevaux pour rejoindre les curieux à la grande porte, Cadfael vit parfaitement ce qui arriva.

L'air misérable et accablé, Joscelin était parvenu à la partie centrale du pont, là où le parapet arrivait à hauteur de hanche. Apparemment il trébucha, laissant ainsi les trois archers de l'avant-garde prendre quelques pas d'avance avant de comprendre la situation. Un chariot, arrêté sur la gauche, força tout le groupe à dévier vers la droite pour le dépasser. Alors qu'ils approchaient du mur, Joscelin cessa de feindre la résignation et tendit soudain les muscles de son corps bien découplé ; entraînant les deux gardes qui le tenaient en un arc de cercle étourdissant vers la droite, il les fit voltiger sans qu'ils aient le temps de se rendre compte de ce qui leur arrivait, avant de dégager ses bras et de sauter par-dessus un adversaire à terre pour atteindre le mur. Un de ceux qui suivaient agrippa désespérément la cheville de Joscelin qui bondissait vers le parapet, mais ce dernier lui donna un vigoureux coup de pied qui le fit vaciller. Avant qu'un autre ait pu se saisir de lui, il avait bondi par-dessus le parapet et impeccablement sauté pieds joints au beau milieu de la rivière, où il disparut à leur vue.

Ce fut joliment fait et Cadfael, témoin de la scène, ne put que se réjouir. Sans raisons précises, il eut la conviction profonde que Joscelin Lucy n'avait jamais touché à l'or de Domville, que le récit fait par Agnès à son mari de la rencontre dans le jardin, ainsi que les plaintes et les avertissements de Picard au fiancé menacé étaient les vraies causes du renvoi du jeune homme : ce renvoi n'avait pour buts que de rendre possible une fausse accusation de vol à l'encontre de l'écuyer et de l'envoyer à coup sûr en prison pour éviter qu'il ne gênât leurs projets ambitieux. Ils ne pouvaient se permettre de le laisser en liberté. Il devait disparaître.

Et il avait disparu, mais de son propre gré et de belle façon. Retenant son souffle, Cadfael se pencha par-dessus le parapet comme des douzaines d'autres spectateurs excités. Des voix s'élevèrent, certaines impartiales, d'autres partisanes. Il y aurait toujours des gens respectueux des lois pour applaudir un prisonnier échappant au shérif.

Le sergent, qui aurait certainement à répondre de l'évasion, était passé à l'action avec un beuglement de rage et hurlait des ordres à ses hommes, à l'avant et à l'arrière. Afin de cueillir le fugitif sur la berge où il essaierait d'aborder, les deux cavaliers de l'avant-garde s'élancèrent au galop pour longer la rivière sous les murs de la ville et ceux de l'arrière-garde firent demi-tour pour gagner la rive de l'abbaye. Mais les deux groupes durent faire un détour tandis que la Severn, plus rapide qu'eux, emportait sereinement leur gibier invisible dans ses flots gonflés. Les soldats qui restaient comptaient deux archers qui, sur l'ordre du sergent, bandèrent leur arc en hâte en se frayant un chemin vers le parapet et en repoussant les curieux qui auraient gêné leurs mouvements.

— Dès qu'il revient à la surface, hurla le sergent, tirez sur lui! Blessez-le si vous pouvez, tuez-le s'il le faut!

Les minutes passèrent; les cavaliers atteignirent les berges et se dirigèrent vers la rivière. Aucune tête aux cheveux filasse n'émergeait des flots rapides et réguliers.

— Il s'est noyé! gémit quelqu'un et des femmes poussèrent des soupirs apitoyés.

— Oh, non! hurla d'une voix suraiguë un gamin à plat ventre sur le parapet. Vous le voyez là-bas? Il nage comme une loutre!

La tête blonde de Joscelin apparut un moment, loin en aval, luisante et ruisselante d'eau. Une flèche vibra et suscita de légers remous à quelques pas du jeune homme, mais il était déjà sous l'eau, et lorsqu'il remonta à la surface pour respirer, il était presque hors de portée des armes. Une seconde flèche s'abattit bien en deçà et il resta au mitan de la rivière, à la vue de tous, se laissant emporter par le courant, apparemment aussi à l'aise dans l'eau que sur terre. Les archers eurent droit pour leur peine, aux acclamations moqueuses des garnements de la ville, ou tout au moins de ceux qui étaient tranquillement hors de portée, tandis que le geste insolent d'adieu lancé en aval par Joscelin provoqua une vague de rires à moitié étouffés.

Sur chaque rive, les cavaliers pressaient leurs

chevaux, mais perdaient inéluctablement du terrain ; deux suivaient le chemin en contrebas de la muraille et le long du vignoble abbatial, et trois longeaient les terres riches de l'autre côté, là où les principaux potagers et vergers de l'abbaye occupaient toute une étendue qu'on appelait la Gaye. Ils avaient autant de chances de rattraper Joscelin que d'aller aussi vite que les feuilles emportées par le courant médian. La Severn, bien que silencieuse et sans remous, était mortellement rapide.

A présent, le cou tendu, ils s'efforçaient de ne pas perdre de vue une tête blonde qui n'était pas plus grosse qu'un petit amas d'écume formé par un tourbillon soudain. A peine visible un instant, invisible l'instant d'après. Il avait plongé à nouveau pour être sûr – pensa Cadfael en l'observant attentivement – qu'on ne verrait pas quelle rive il approcherait ni où il aborderait. A présent, il avait dépassé le vignoble ; à main gauche, se dressaient la masse énorme des murailles du château ainsi que des buissons et des arbustes recouvrant le terrain en contrebas ; à main droite, derrière les vergers, des bois se prolongeaient jusqu'à la berge. Rien de plus facile que de deviner son choix, mais il évita de se montrer avant d'être sur la terre ferme, parmi les arbres. Choisissant soigneusement ce qui lui semblait être le couvert le plus favorable, Cadfael crut apercevoir non pas l'homme lui-même, mais un mouvement rapide des branches inclinées et un reflet dans l'eau lorsque Joscelin se hissa sur la berge et disparut dans les bosquets. Il n'y avait plus rien à voir ni à faire sur le pont. Cadfael se rappela son devoir qu'il avait négligé et revint vers l'abbaye, tournant le dos aux garnements hilares et aux gardes qui juraient. Inutile pour l'instant de se demander comment Joscelin s'en sortirait sans armes, sans cheval, sans argent, sans vêtements secs et dès à présent pourchassé à cor et à cri. Mieux valait pour lui disparaître au plus vite, à pied ou par n'importe quel moyen, et mettre le plus de distance possible entre Shrewsbury et lui avant la nuit. Pourtant, Cadfael se surprit à douter que le garçon adoptât une conduite aussi sensée.

Il ne fut pas étonné de constater que la nouvelle de la fuite l'avait précédé. Alors qu'il approchait de la porterie, Gilbert Prescote sortit au petit galop, la mine sombre, suivi de près par les hommes d'armes qui lui restaient. Il n'avait aucune antipathie pour Joscelin Lucy, ni, à voir sa façon d'agir, aucun respect particulier pour Huon de Domville, mais l'incompétence de son sergent lui restait en travers de la gorge, et si le prisonnier n'était pas repris rapidement, les gardes malchanceux passeraient un mauvais quart d'heure.

La poussière retombait encore lorsque le Frère portier apparut prudemment pour les suivre du regard et hocher la tête d'un air morose à l'approche de Cadfael.

— Le voleur leur a finalement échappé! Cela va être la croix et la bannière pour le rattraper; il va lancer toute la garnison à ses trousses. Et lui est à pied poursuivi par leurs chevaux! Le sien a été ramené à la résidence de l'évêque par l'autre jeune écuyer.

Ils étaient tous partis, Huon de Domville, Simon Aguilon, Guy FitzJohn, les serviteurs et les autres, et si la nouvelle de l'évasion venait d'atteindre l'abbaye, eux s'en étaient allés en croyant que le voleur était sous les verrous.

– Qui a apporté la nouvelle ? demanda Cadfael. L'homme a dû partir bien vite et n'a pas pu voir le dénouement.

– Deux frères lais remontaient de la Gaye avec la dernière récolte de pommes. Ils l'ont vu sauter et sont aussitôt accourus nous le dire. Mais vous les suivez de peu.

La nouvelle, donc, n'avait pas été plus loin pour l'instant. Une foule de gens – moines, serviteurs, invités – s'agitaient dans la cour, tout intrigués et excités et certains s'en allaient même voir ce qui se passait le long de la rive. Lorsqu'il serait au courant, Huon de Domville laisserait en d'autres lieux libre cours à sa colère. Cadfael observa Godfrid et Agnès Picard dans l'entrée de l'hôtellerie : plongés dans une conversation à voix basse et tendue, le visage crispé et circonspect, ils échangeaient des regards qui n'étaient que calcul et angoisse. Ce coup de théâtre n'était pas de leur goût : ce qu'ils voulaient c'était que ce jeune homme encombrant fût bien enfermé à double tour dans le château et promis au gibet, si Domville décidait d'aller jusqu'au bout.

Aucun signe d'Iveta. Elle devait, sans nul doute, être enfermée – avec, pour la surveiller, la servante-dragon d'Agnès. Et elle ne reparut qu'au bout de quelques heures, bien que l'on vît son oncle et sa tante, l'air résolu, faire maintes allées et venues entre le logis abbatial, l'hôtellerie et la porterie et, même une fois, Picard s'absenta près d'une heure de l'abbaye, sans doute pour se rendre à la résidence de l'évêque et conférer avec Domville. En ce début d'après-midi, Cadfael se posait des questions sur sa propre responsabilité, négligeant de surveiller, contrairement à son habitude, l'activité d'Oswin, et quelque peu penaud de voir que, pour une fois laissé à lui-même, son assistant n'avait rien renversé, brûlé ou brisé ni n'avait arraché de plantes précieuses. Cela pouvait être, bien sûr, une grâce spéciale de la Providence, un égard envers la préoccupation évidente de Cadfael, mais cela pouvait également être un reproche pour la surveillance pointilleuse qu'il exerçait sur son élève.

Son problème était facile à exposer, mais difficile à résoudre. Devait-il aller raconter à l'abbé Radulf ce qu'il avait vu et fait le soir précédent? Se mêler des affaires de parfaits inconnus sur des preuves aussi fragiles et suspectes pouvait se révéler dangereux, même si l'on avait les meilleures intentions du monde. Qui aurait pu jurer que ce jeune homme si attachant n'était pas un coureur de dot qui, dans son propre intérêt, avait tenté d'amener Iveta à s'enfuir avec lui; il était certes assez séduisant pour l'avoir convaincue. Et pourtant, Cadfael avait beau s'efforcer de considérer les personnes en jeu sous tous les angles, sans préjugés, il ne pouvait déceler chez les Picard aucune trace de chaleur ou de tendresse envers la jeune fille.

Le problème se résolut de lui-même lorsque l'abbé Radulf le convoqua au milieu de l'après-midi. Cadfael y alla, un peu intrigué et non sans appréhension, pensant philosophiquement que l'on ne pardonne pas toujours facilement les mensonges, même lorsqu'ils ont pour origine une bonne intention. En outre il ne fallait pas sous-estimer Agnès Picard, même si jusqu'ici, lui, Cadfael n'avait pas mis d'obstacles sur sa route, à part verser un peu d'huile opportuniste sur des eaux tumultueuses.

– J'ai reçu une plainte vous concernant, Frère Cadfael, dit l'abbé, se détournant avec décision de son écritoire. (Sa voix, comme toujours, était mesurée, incisive et courtoise et son visage calme et impénétrable.) Oh! pas nommément, mais j'imagine que le Frère qui était encore au travail dans le jardin aux simples après souper, hier soir, ne peut être que vous.

– C'était moi, dit rapidement Cadfael.

Il n'y avait qu'une seule manière d'agir avec Radulf et c'était de répondre franchement et sans détours.

– En compagnie de Dame Iveta et de ce jeune homme qui est à présent pourchassé sur les berges? Et en complotant avec eux lors de cette rencontre aussi peu conforme à la Règle?

– Absolument pas! dit Cadfael. Je les ai surpris en entrant dans mon herbarium, à ma grande gêne et à la leur. Dame Picard en fit autant, un moment après. Que j'aie dû user de beaucoup de diplomatie, j'en conviens. Un orage menaçait. Disons que j'ai tiré une ou deux flèches pour disperser les nuages.

– J'ai entendu, déclara sereinement l'abbé, une version de l'affaire par Messire Picard qui, sans nul doute, la tenait de son épouse. J'aimerais connaître la vôtre.

Cadfael la donna avec autant de précision qu'il le put, tout en omettant de mentionner la menace imprudente de Joscelin de ne pas reculer devant le meurtre. Les caractères vif-argent tiennent des propos que démentent leur conduite et leur visage.

Lorsqu'il eut fini, Radulf le toisa longuement sous ses sourcils froncés, en se mettant à réfléchir.

— En ce qui concerne les libertés que vous avez prises avec la vérité, Frère Cadfael, je laisse cela à votre confesseur. Mais croyez-vous vraiment que cette jeune fille ait peur de son parent, qu'elle soit contrainte à des décisions qui lui sont haïssables ? J'ai entendu ce qu'a dit l'accusé. Mais lui-même aurait beaucoup à gagner s'il l'arrachait à ce mariage de convenance et ses motifs sont peut-être aussi corrompus que l'est toujours la cupidité. Un beau physique n'est pas synonyme d'une belle âme. Il se peut très bien que son oncle n'ait en tête que le bien de sa nièce, et ce serait péché que d'entraver ses projets.

— Il y a un point particulier, remarqua Cadfael avec prudence, qui me préoccupe beaucoup. On ne voit jamais la jeune fille toute seule : elle est toujours entourée de son oncle et de sa tante. Elle parle à peine, car il y a sans cesse quelqu'un qui parle à sa place. J'aurais l'esprit plus tranquille si vous, mon Père, pouviez vous entretenir avec elle, librement, seul à seule, ne fût-ce qu'une fois, sans témoin, et entendre ce qu'elle a à dire, sans qu'on le lui souffle.

L'abbé médita et admit gravement : « Il y a du vrai dans ce que vous dites. Ce n'est peut-être qu'une attention trop poussée, mais la jeune fille devrait pouvoir se faire entendre librement. Si j'allais moi-même à l'hôtellerie rendre visite à mes invités pour essayer de me trouver seul à seule avec elle ? Cela me tranquilliserait et vous aussi. Car je vous le dis franchement, messire Picard m'assure que cet écuyer a profité des entrées qu'il avait en tant que serviteur de Domville pour faire une cour furtive à la jeune fille, qui était contente de son sort avant qu'il lui eût tourné la tête avec force compliments et attentions. Si c'est le cas, les événements de ce matin ont pu lui ouvrir les yeux et la faire réfléchir. »

On ne pouvait savoir d'après ses paroles ou son attitude s'il acceptait sans réserve le bien-fondé de l'accusation de vol ou ce qu'il avait vu de ses propres yeux. Il était trop subtil pour ne pas avoir réfléchi à toutes les possibilités.

— J'ai l'intention, dit-il, d'inviter le fiancé et son neveu ainsi que messire Godfrid à souper avec moi ce soir. C'est l'occasion de transmettre l'invitation moi-même. Pourquoi pas maintenant?

— Pourquoi pas en effet?

Raisonnablement satisfait de cette entrevue, Cadfael sortit avec lui, dans la légère brume de cet après-midi d'automne. Aristocrate lui-même, et l'égal d'un baron, Radulf avait des idées strictes sur le devoir des jeunes de se soumettre à ceux qui avaient autorité sur eux; mais il ne se leurrait pas sur les nombreux échecs rencontrés par les adultes ainsi désignés pour imposer un ordre bienveillant dans la vie de leurs enfants. Qu'il se trouve quelques instants seul avec Iveta et il ne manquerait pas de gagner sa confiance. Elle ne laisserait pas passer une telle occasion. Dans ces murs, il était le maître, il pourrait étendre sa main au-dessus d'elle et elle trouverait protection, même contre le roi.

Ils traversèrent le jardin abbatial et la cour pour se diriger vers l'hôtellerie. Cadfael aurait pris congé et serait revenu à ses simples si tout d'un coup ils ne s'étaient pas arrêtés stupéfaits : sur le banc de pierre, près du mur du réfectoire, se trouvait Iveta, assise, les yeux diligemment baissés sur un missel posé sur ses genoux, ses cheveux d'or sombre miroitant doucement dans la lumière voilée du soleil. En démenti de tout ce que Cadfael avait dit, elle était seule, assise là en plein air, lisant tranquillement, sans personne de son entourage en vue.

Radulf s'arrêta et la dévisagea avant de se diriger vers l'endroit où elle se tenait. Elle entendit peut-être le bruit de sa robe de bure ; son pas était audible. Elle leva les yeux ; son visage était d'une immobilité et d'un calme presque glacials. Son teint était si blanc qu'il était difficile de dire si elle était plus pâle qu'à l'habitude, mais lorsqu'elle vit s'approcher l'abbé, elle sourit, des lèvres du moins et se leva pour le saluer d'une délicate révérence. Cadfael suivait l'abbé de près, n'en croyant pas ses yeux et ne comprenant rien.

— Ma fille, dit doucement Radulf, je suis heureux de vous voir ainsi en paix. Je craignais que les incidents de ce matin ne vous aient attristée et troublée, alors que vous êtes à la veille de changer de condition et avez besoin de réflexion et de calme. Vous teniez, je pense, ce jeune homme en plus grande estime qu'il ne le méritait et n'étiez point préparée à ces révélations. Je suis sûr que cela vous a plongée dans le désarroi.

Elle leva le regard soutenu, mais vide de ses yeux qui ne cillaient pas dans son visage immobile et pur.

— Oui, mon Père. Je n'ai jamais pensé du mal de lui, mais j'ai écarté tous mes doutes à présent. Je sais ce que je dois faire.

Elle parlait d'une voix basse, mais ferme et décidée.

— Et votre esprit est-il en paix pour la cérémonie

de demain? Moi aussi, j'ai des devoirs, mon enfant, envers tous ceux qui viennent se placer sous mon autorité. Chacun peut s'adresser à moi. S'il y a quelque chose que vous désirez me confier, faites-le en toute liberté. Personne ne pourra m'empêcher ou me persuader de ne pas vous écouter soigneusement. Votre paix, votre bonheur sont ma responsabilité tant que vous êtes entre ces murs et seront l'objet de mes prières après votre départ.

— Je vous crois et vous remercie, dit Iveta. Mais mon esprit est en paix et satisfait, mon Père. Je vois clairement ce que je dois faire. Je ne changerai plus ma décision.

L'abbé lui jeta un long regard perçant qu'elle soutint sans faiblir et en gardant son pâle sourire décidé. Radulf résolut de mettre les points sur les *i*, car l'occasion ne se renouvellerait sans doute pas.

— Je comprends que le mariage que vous ferez demain convient à votre oncle et à votre tante et sied à votre rang et fortune. Mais vous, ma fille, le désirez-vous vraiment? Est-ce bien là votre volonté?

Écarquillant ses grands yeux, couleur d'iris violets, elle entrouvrit ses lèvres en une surprise innocente et répondit simplement :

— Oui, bien sûr, mon Père. C'est ma volonté. Je fais ce que je sais être juste et bon et je le fais de tout mon cœur.

CHAPITRE 4

Profitant de ce que son seigneur faisait un somme pour digérer son dîner et sa rage, Simon Aguilon se faufila hâtivement dans le jardin de l'évêque, dépassa les communs et le verger, se glissa par la petite porte et gagna la ceinture de terrains boisés parallèle à la Première Enceinte. C'était quelque part bien en aval, d'après les témoins, que Joscelin avait disparu à la vue de tous et c'était près de l'endroit où on l'avait aperçu pour la dernière fois qu'il avait dû rejoindre la terre ferme. Sur la berge de droite, certainement, loin du château. Pourquoi se risquer sur la rive de l'ennemi, même quand on pouvait s'y mettre à couvert? Celle de l'abbaye offrait plus de protection en aval de la Gaye.

Ils le recherchaient, bien sûr, mais sans hâte, méthodiquement. La première mesure prise avait été de poster des gardes sur toutes les routes partant de la ville et d'envoyer, dans la campagne, des patrouilles pour former un cercle qu'il ne lui serait guère possible de franchir. Cela fait, ils pouvaient se permettre de prendre leur temps pour passer systématiquement au crible tout l'espace compris dans ce cercle. Le fugitif n'avait ni cheval, ni armes, et aucun moyen de s'en procurer. Apprenant son évasion, Domville avait ordonné de retirer le cheval gris des écuries communes où l'avait mis Simon et de l'enfermer à part, de peur que son propriétaire n'osât, à la faveur de la nuit, le reprendre et tenter de fuir. Sa capture n'était plus qu'une question de temps.

Simon s'enfonça dans les bois, loin en aval, jusqu'à ce qu'il estimât se trouver près de l'endroit où Joscelin avait regagné la rive. Là, bien à l'intérieur des terres, les fourrés étaient épais, le sous-bois abondant et il atteignit deux ruisseaux qui couraient vers le fleuve. Trempé comme il devait l'être, Joscelin n'avait rien à perdre à remonter le lit d'un cours d'eau, au cas où l'on aurait mis des chiens sur ses traces. Simon suivit le second ruisseau assez profondément dans le bois. Lorsqu'il s'arrêta, il n'y avait aucun bruit à part des chants isolés d'oiseaux. L'oreille aux aguets, il se mit à siffler un air de danse que le chapelain de Domville, fin musicien qui aimait autant les chansons profanes que les chants liturgiques, leur avait appris à tous deux.

Ce ne fut qu'un quart de mille plus loin que Simon, sifflotant de temps en temps son refrain, obtint une réponse : un bruissement des épais buissons sur sa droite, le geste d'une main pour les écarter, la lueur d'un regard circonspect croisant le sien.

— Joss? murmura-t-il.

Même si les poursuivants n'étaient pas encore venus de ce côté, un paysan curieux ramassant du bois pouvait donner l'alarme et faire tout échouer. Mais rien ne troubla le silence de la forêt.

– Simon? (Joscelin n'abandonnait pas si vite sa méfiance.) Se servent-ils de toi comme d'un leurre? Je n'ai jamais touché à son maudit or.

– Je ne l'ai jamais cru. Tais-toi! Reste à couvert! (Simon s'approcha pour que leur conversation se poursuive à voix basse.) Je suis seul. Je suis venu te chercher. Il ne faut pas que tu dormes à la belle étoile, trempé comme tu l'es! Il m'est impossible de t'amener ton cheval pour le moment; il est enfermé à double tour. Et toutes les routes sont surveillées. Il va falloir que tu te caches un jour ou deux jusqu'à ce que leur intérêt et leur vigilance faiblissent. Lui, il cessera de réclamer ta tête une fois passé demain.

Les buissons frémirent : Joscelin avait tressailli de haine et de révolte, car le surlendemain, tout serait joué.

– Dieu m'est témoin, siffla-t-il, que je ne cesserai pas de réclamer sa tête à lui. S'ils la forcent à devenir son épouse, je peux encore la rendre veuve!

– Silence, imbécile! Ne dis pas de choses pareilles! Suppose qu'on t'entende! Tu n'as rien à craindre de moi, je t'aiderai de mon mieux, mais... Reste tranquille et laisse-moi réfléchir!

– Je peux me tirer d'affaire seul, dit Joscelin, se levant précautionneusement, tout en restant à couvert, sale et souillé de boue, ses cheveux blonds encore plaqués sur son crâne, mais séchant en mèches capricieuses sur ses tempes. Tu es un bon camarade, Simon, mais ne prends pas de risques inutiles pour moi.

– Que veux-tu que je fasse? lança Simon sur un ton exaspéré. Que je reste les bras ballants et te laisse capturer? Ecoute! l'endroit le plus sûr pour toi maintenant, le seul où ils ne penseront jamais à te chercher, c'est la propriété de l'évêque. Pas le corps de logis, les écuries ou la cour, bien sûr, mais c'est la seule maison et le seul jardin où tes poursuivants n'iront pas. Toutes les autres granges et étables vont être fouillées de fond en comble. Il y a une cabane dans un coin de la propriété, près de la petite porte par laquelle je suis sorti, où l'on entrepose du foin. Là tu dormiras au sec; moi, je t'apporterai de la nourriture, et si nous barrons la porte, personne ne pourra venir de l'extérieur. Ensuite, si je t'amenais Briard... Qu'en penses-tu?

C'était la voix du bon sens et Joscelin approuva avec ferveur et gratitude. Ce qu'il ne dit pas, c'est que peu lui importait, encore, de ne pas avoir de cheval : il n'avait pas l'intention d'aller où que ce fût tant qu'il n'aurait pas soit trouvé le moyen de sauver Iveta, soit perdu tout espoir, tout courage et probablement sa vie à tenter de la secourir.

— Tu es un ami fidèle et je ne l'oublierai pas. Mais fais attention! Un seul homme dans le pétrin, cela suffit! Écoute! (Il saisit le poignet de Simon et le serra énergiquement.) Si les choses tournent mal, si je suis débusqué et arrêté, toi, tu ne savais rien, je me serai débrouillé tout seul. Renie-moi, je t'en conjure! Si je dois m'expliquer sur la présence de nourriture ou d'autre chose, j'affirmerai que je l'ai volée et toi, tu devras me laisser dire. Promets-le-moi! J'aurais honte si je te compromettais.

— On ne te capturera pas, affirma Simon avec force.

— Non, bien sûr, mais promets!

— Bon, très bien, puisque tu l'exiges, je te laisserai tout seul dans le pétrin, ou du moins, j'essaierai de t'en sortir par des moyens détournés. Je tiens à ma peau, comme tout le monde. Je ferai attention, de toute façon. Allez, viens! Profitons-en, pendant que tout est calme et que personne n'a remarqué mon absence.

Le retour fut plus court, puisqu'ils purent se diriger directement vers le mur du jardin tout en restant constamment à couvert. Une ou deux fois, Simon qui marchait devant sifflota et Joscelin plongea dans les buissons, mais ce n'était que des alertes passagères causées par des sons ténus : envol d'oiseaux ou fuite de petits animaux sur les brindilles sèches. La porte était entrouverte, comme l'avait laissée Simon. Passant le premier, il l'ouvrit prudemment et jeta un coup d'œil à l'intérieur avant de faire signe à Joscelin qui la franchit avec soulagement et entendit Simon la refermer et la barrer derrière lui. Puis ils pénétrèrent dans l'humble fenil en bois, accolé au mur d'enceinte. Cela sentait l'herbe sèche, et la poussière fine qu'ils soulevèrent leur chatouilla et piqua le nez.

— Personne ne viendra ici, dit Simon à voix basse. Les écuries de la cour sont bien approvisionnées en foin. Et ce sera confortable. Reste tranquillement ici! J'accompagne mon oncle au souper de l'abbé ce soir, mais je t'apporterai de quoi manger et boire avant. Tu vas pouvoir te sécher comme il faut dans le foin.

— C'est un palais! s'exclama joyeusement Joscelin en serrant le bras de son ami avec fougue et reconnaissance. Je ne l'oublierai pas. Quoi qu'il arrive, s'il plaît à Dieu, je saurai qu'il y a au moins une personne qui refuse de me croire un

voleur, et un ami sur lequel je peux compter.
Mais rappelle-toi, si on en vient au pire, que je
préfère sombrer seul que de t'entraîner dans la
boue avec moi!

– Laisse ton Simon s'occuper de sa propre
santé! riposta le jeune homme avec un sourire
confiant. Prends garde à ta vie, je garderai la
mienne! Et maintenant, je me sauve! Notre
maître doit être en train de me réclamer pour que
je l'aide à s'habiller pour les Vêpres. C'est le prix
qu'il paie pour souper avec l'abbé.

Frère Cadfael remarqua leur présence aux
Vêpres : Huon de Domville, superbement et
sobrement vêtu de belle étoffe noire et cramoisie
pour le souper chez l'abbé, le chanoine Eudes,
imperturbable, l'air posé et ascétique pareil en
plus jeune au prieur Robert, visant la sainteté
tout en lorgnant d'éventuels avantages séculiers,
et le jeune écuyer en service, Simon Aguilon, discret et athlétique, aux cheveux frisés, au visage
mat et ouvert empreint d'une gravité inhabituelle
due aux événements de la journée.

Les Picard étaient présents, eux aussi, mais,
remarqua Cadfael, pas la fiancée ni la servante
d'âge mûr. Il avait aperçu Iveta deux fois à la fin
de l'après-midi, mais cette fois encore, flanquée
de deux chaperons. Elle conservait un maintien
calme et posé, elle arborait le même visage pâle,
mais fier et confiant, un léger sourire semblait
prêt à naître sur ses lèvres au moindre regard. Si
seulement, songeait Cadfael, il s'était trouvé une
occasion où elle aurait été indubitablement seule,
sans surveillance, libre d'exprimer sa propre opinion! Mais cette occasion s'était produite et Iveta

avait déjoué toutes les prévisions. Impossible de le nier. Elle avait cru le pire au sujet du jeune Joscelin Lucy et lui avait retiré ses faveurs avec une détermination qui semblait être au-dessus de ses forces. Résignée à ce mariage, elle était résolue à le voir s'accomplir, révoltée peut-être par l'effondrement amer d'un rêve bien plus tentant qui n'avait été que désillusion au réveil.

Et puis elle était trop naïve, conclut Cadfael, trop facilement convaincue. La Bible ne parlait-elle pas d'une coupe dissimulée dans le sac du jeune Benjamin pour permettre son arrestation? Et le même stratagème n'avait-il pas été utilisé plus d'une fois depuis? Mais elle était très jeune et avait été, peut-être, si candidement amoureuse qu'il suffisait d'un peu d'ingéniosité pour manipuler des sentiments trop entiers. L'ennui, pourtant, c'est que ces faits, au premier abord très suspects, pouvaient se révéler vrais.

Il regarda les hôtes se diriger vers le logis abbatial après les Vêpres et remarqua le retour d'Agnès Picard à l'hôtellerie. Nulle action n'était envisageable, on ne pouvait strictement rien tenter. Cadfael se rendit au dîner dans le réfectoire, et ensuite à la lecture dans la salle capitulaire, mais il avait perdu appétit et concentration, sans trop savoir pourquoi.

Les hôtes de l'abbé eurent comme il se devait un bon souper, mais ne veillèrent pas trop tard. Cadfael était parti fermer son herbarium avant d'aller se coucher, bien après Complies. Il s'en retournait au dortoir lorsqu'il vit, à la lueur de la lanterne, à la porterie, Domville et son écuyer monter à cheval pour regagner la résidence de l'évêque et Picard prendre congé d'eux. Le chanoine Eudes, de toute évidence, passait la nuit chez l'abbé pour veiller aux préparatifs du lendemain.

Ils avaient bien bu, à entendre leur ton jovial, mais certainement sans excès, car l'abbé Radulf était sobre et servait ce qu'il estimait suffisant, ni plus, ni moins. La lumière crue permettait de bien les différencier : le baron, lourd et bon vivant mais encore puissant de corps et d'esprit, puissant aussi par les terres et par l'argent, était homme à ne pas traiter à la légère ; Picard, plus mince à tous égards, intelligence aiguë mais dissimulée et tortueuse montrait une subtilité qui pouvait servir de complément à la force brutale de Domville. Ces deux-là, unis, étaient redoutables pour n'importe quel adversaire. Le jeune écuyer était patient et serviable, mais indifférent, l'esprit ailleurs, quoique d'un caractère égal. Il ne serait pas fâché de regagner son lit.

Cadfael les regarda monter à cheval, vit le jeune homme tenir l'étrier à son maître et entendit presque son bâillement étouffé. Lui-même, ensuite, sauta en selle d'un pied léger et heureux et chevaucha aux côtés de Domville avec aisance, une main sur les rênes. Le jeune homme était parfaitement sobre, conscient, probablement, de sa situation précaire en tant que responsable du retour de son maître et de son coucher. Picard s'éloigna, levant la main en signe d'adieu. Les deux chevaux franchirent le portail sans hâte et le bruit régulier de leurs sabots sur les pavés de la Première Enceinte fit bientôt place au silence.

L'obscurité régnait dans la Première Enceinte ; seule la faible lueur des étoiles éclairait cette nuit sans lune; le ciel était dégagé après plusieurs jours de brume, l'air vif annonçait les gelées. Des bougies brillaient à une ou deux fenêtres. Devant la résidence de l'évêque, dont le portail était en retrait par rapport à la route, les arbres de chaque côté projetaient une ombre vert foncé.

Les deux cavaliers se mirent au pas et s'arrêtèrent brièvement devant le portail. Leurs voix, bien que basses, s'entendaient distinctement dans le grand silence.

— Rentre, Simon, dit Domville. J'ai envie de prendre un peu l'air. Dis aux palefreniers d'aller se coucher.

— Et vos valets, messire?

— Renvoie-les, eux aussi. Dis-leur que je n'aurai pas besoin de leurs services ce soir, pas avant une heure après Primes, à moins que je n'appelle. Ce sont mes ordres, veille à ce qu'on les observe.

Le jeune homme, sans un mot, acquiesça d'un signe de tête. Le geste fut à peine perceptible dans le silence absolu qui régnait. L'homme tapi dans l'ombre, dissimulant sous une immobilité disciplinée sa présence illicite si près de la ville, entendit le léger bruissement d'une cape et le tintement d'un harnais lorsqu'un cheval bougea. Puis Simon, obéissant, fit pivoter sa monture et pénétra au petit trot dans la cour tandis que Domville partait en direction de Saint-Gilles, d'abord au pas, puis à un trot rapide et décidé.

Le suivant, ombre parmi les ombres, une silhouette longea le talus à grands pas inégaux et silencieux. Pour un boiteux au pied rongé par la maladie, il se déplaçait avec une rapidité surprenante, mais il ne put maintenir l'allure très longtemps. Aussi longtemps qu'il perçut le martèlement des sabots, il le suivit pourtant dans la Première Enceinte déserte, dépassant la maladrerie et l'église et continuant sur la grand-route. Il reconnut le moment où le son, qui avait décru régulièrement, cessa brusquement et comprit de quel côté de la route le cavalier avait tourné dans un sentier herbeux. Ce fut dans cette direction qu'il continua d'avancer, sans plus se hâter.

A droite de la route, le terrain descendait vers la vallée de la Meole et vers le bief du moulin qui s'y alimentait. Là des bosquets et des taillis clairsemés recouvraient la pente, et des bois touffus le fond de la vallée. Un chemin traversait cette zone boisée et vallonnée; il était assez large et son sol assez régulier pour être, aisément, parcouru à cheval par une nuit étoilée, sous des arbres à demi dénudés. C'était sur ce sentier qu'était parti Huon de Domville, invisible et silencieux dans la nuit.

Le vieillard fit demi-tour, et revint lentement vers Saint-Gilles, où tous ses compagnons dormaient et où lui seul veillait, l'esprit agité. Il n'entra pas, bien que la porte extérieure ne fût jamais fermée à clef, pour le cas où quelque malheureux arriverait dans la nuit glaciale. Le temps pourrait virer au froid avant l'aube, mais pour l'instant, la nuit, pure et traversée de senteurs agréables, avait cette immobilité absolue qui convient à la pensée solitaire; le vieillard, d'ailleurs, n'était pas sensible au froid. Devant la clôture, dans l'angle du mur du cimetière, se trouvait un grand tas d'herbe sèche provenant de la dernière fauche du talus entre la maladrerie et la route. Dans un jour ou deux on le transporterait dans la grange pour en faire du fourrage et de la litière. Le vieillard s'enroula dans sa cape et s'assit dans l'herbe, bien enfoncé dans la meule pour profiter de sa mollesse et de sa chaleur. Il posa à côté de lui la crécelle qui pendait à sa ceinture : maintenant, nul être humain ne se trouvait près de lui, qu'il dût avertir de la présence d'un lépreux.

Il ne dormit pas. La tête et le dos bien droits, les mains reposant tranquillement sur les genoux, la droite intacte tenant la gauche mutilée, il demeura assis. Nul, cette nuit-là, n'égalait son immobilité.

Joscelin avait dormi longtemps sur sa couche de foin; ses vêtements avaient séché sur lui et il avait du pain, de la viande et du vin apportés, comme promis, par Simon. Il s'était reposé plus d'une fois dans des conditions moins confortables! Seul son esprit le tourmentait encore. Il était facile à Simon d'affirmer calmement qu'il pouvait prétexter que le cheval gris avait besoin d'exercice pour le délivrer dans un jour ou deux, et aider ainsi son ami à fuir lorsque les poursuites se ralentiraient, comme cela ne manquerait pas de se produire. A quoi tout cela servirait-il? Un jour de plus, deux à plus forte raison, et Iveta serait sacrifiée; quant à s'enfuir sans elle cela n'entrait pas dans les plans de Joscelin. C'était très bien de la part de Simon de lui trouver ce refuge et très sensé, sans nul doute, de lui conseiller de rester ici jusqu'à ce que la fuite fût possible. Des conseils bien intentionnés dont Joscelin était reconnaissant, mais qu'il n'envisageait absolument pas de suivre. Un répit serait le bienvenu, mais serait du temps gaspillé s'il ne débouchait pas sur une action avant le lendemain dix heures.

Et il était là, seul, sûr d'être pourchassé, sinon abattu à vue, sans armes, sans plans précis, avec seulement quelques heures de grâce devant lui.

Au moins, il était simple de conclure qu'il ne pouvait rien faire en ce lieu et qu'il lui faudrait profiter de l'obscurité s'il comptait trouver un autre refuge. Même s'il avait réussi à se procurer un poignard et à gagner subrepticement la chambre de Domville, il savait qu'il n'aurait pas daigné profiter de cette occasion. C'était très joli de parler de tuer, mais Frère Cadfael avait eu parfaitement raison : il ne pouvait pas le faire, pas par traîtrise. Quant à un défi loyal dans une bonne querelle, Domville lui rirait au nez avant de le livrer au shérif. Et ce ne serait même pas par lâcheté, reconnut Joscelin. Peu de choses effrayaient Domville et peu d'adversaires en lice. « Je ne suis pas maladroit à l'épée », se dit judicieusement Joscelin, « mais malgré son âge, il ne ferait qu'une bouchée de moi. Non, il me rejetterait par dédain, non par prudence. »

« A moins que... à moins que je ne lui tire la barbe devant tous, devant l'abbé, le chanoine, les invités et que je ne le soufflette, quelque chose que sa dignité ne supporterait pas, quelque outrage accompli en public qui devrait être lavé en public et dans le sang. Dans ce cas, il pourrait même passer outre à la loi et au shérif, il pourrait même renoncer à me supprimer par des moyens plus lents et ne plus rien vouloir que mon cœur au bout de sa lame. Alors, il oublierait Iveta et le mariage jusqu'à ce qu'il ait effacé l'insulte. En outre, si je pouvais l'amener à cela, il serait scrupuleux à l'extrême; il me laisserait le temps de me reprendre, me prêterait une épée d'égale longueur et me tuerait selon les règles et l'honneur. Rendons-lui cette justice : les armes à la main, il se bat loyalement, même s'il ne voit aucune raison d'avoir autant de scrupules à lancer de fausses accusations en se servant de preuves falsifiées.

« Et qui sait...? Qui sait? Avec les prières d'Iveta et tout le poids de mon ressentiment (car il s'est conduit de vile façon), qui sait si je ne sortirais pas vainqueur? Et alors, même s'ils me tordent le cou sur la foi de ses fausses accusations, elle, elle serait délivrée! »

A dire vrai, il ne croyait guère à cette solution et pas seulement en ce qui le concernait. Il fallait, en effet, qu'Iveta fût délivrée non seulement de ce mariage haïssable, mais également du tuteur qui profitait d'elle et de son héritage comme le lierre meurtrier sur le chêne, et qui la vendrait au plus offrant aussi habilement qu'à celui-ci. Mais, même un délai, c'était le salut : la situation pouvait changer, Picard mourir... Il fallait à tout prix repousser demain!

S'il voulait agir, il devait sortir de sa cachette et, d'une manière ou d'une autre, se faufiler jusqu'à l'abbaye, là où tout se jouerait. Aucun espoir sur la Première Enceinte, la route devait être surveillée, la porterie et la porte de l'église donnant sur la paroisse gardées, cela c'était certain. Sur trois côtés, le domaine de l'abbaye était entouré d'un haut mur d'enceinte. Le quatrième était bordé par la Meole qui, sans être un simple cours d'eau entourant les jardins, était franchissable à gué ou à la nage. L'eau ne faisait pas peur à Joscelin. S'il réussissait à traverser la Première Enceinte, il pourrait descendre dans la vallée et gagner l'enceinte de l'abbaye derrière le ruisseau. Là il serait à couvert dans les taillis et le sous-bois. Et c'était d'abord en aval que le chercherait le shérif.

Il se retourna, faisant crisser le foin. La poussière qui lui chatouilla les narines provoqua un éternuement qu'il réprima aussitôt. Il devait avoir fière prestance pour affronter et hurler son défi à un baron du royaume! Mais c'était le seul espoir qui restait. Et pour garder ce seul espoir, il lui fallait sortir de là et traverser la Première Enceinte jusqu'à la vallée pendant qu'il faisait encore nuit, en pensant avec reconnaissance et tristesse à Simon, qui lui avait souhaité bonne chance et aurait voulu qu'il restât couché là comme un lièvre dans son terrier jusqu'à ce que le danger fût passé.

Il n'avait aucun moyen de savoir l'heure, mais lorsqu'il ouvrit la porte de la cabane et regarda le jardin, il fut rassuré par l'épaisseur des ténèbres. Le silence de mort était plus gênant : la brise dans les buissons aurait couvert un bruit de pas malencontreux. Et lorsqu'il ne serait plus à l'abri des hauts murs, l'obscurité elle-même s'éclaircirait faiblement. Mais c'était maintenant ou jamais! Tout paraissait silencieux et immobile. Après avoir soulevé la barre de la petite porte, il se glissa dehors et se mit à suivre à tâtons le mur d'enceinte du jardin. Une étroite rangée d'arbres et une allée séparant la maison de sa voisine l'amenèrent à la Première Enceinte. Il s'arrêta pour écouter : rien ne semblait bouger. Mais à en juger par la faible lueur au-dessus de la grand-route, l'aube était plus proche qu'il ne l'aurait voulu. Mieux valait se hâter!

Il s'élança à découvert, le pied léger malgré sa taille, et se trouvait presque sur l'herbe de l'autre côté lorsqu'une pierre roula sous lui avec un son bref et rocailleux. Quelque part dans la Première Enceinte, aux abords de la ville, une voix s'éleva, puis une autre lui répondit par un cri sourd et on se mit à courir dans sa direction. Il y avait des patrouilles sur les routes en dehors de la ville. Joscelin se rua en avant et dévala le versant abrupt vers le bief; mais soudain, une voix, faisant écho en contrebas, le força à s'arrêter et à plonger à couvert. Pas d'issue là non plus. Deux des gardes patrouillant la campagne lui barraient le chemin et escaladaient à présent la pente dans sa direction.

Pour l'instant, il n'avait pas encore été repéré, mais il ne lui restait qu'une chance, c'était de mettre promptement autant de distance que possible entre eux et lui, et cela signifiait passer par la route, où il pouvait espérer se montrer plus rapide que ses poursuivants. Il remonta la pente à toute vitesse et, empruntant le talus, se mit à courir en direction de Saint-Gilles. Derrière lui, il entendit les gardes de la vallée appeler leurs compagnons et ceux-ci leur crier :

– Le voleur est ici! Montez!

Les deux gardes sur la route se lancèrent lourdement à sa poursuite, mais il avait une bonne avance et était sûr de les distancer et de pouvoir se cacher assez loin des postes de garde qu'on avait dû mettre en place sur chaque route. Un moment après pourtant, il entendit un son qui lui glaça le sang : le bruit soudain de sabots passant de l'herbe à la route. Les deux gardes venant de la vallée étaient à cheval.

– Pourchassez-le! Il va sur la route, rattrapez-le! beugla un des poursuivants.

Ils accoururent au petit trot et il perdit tout espoir de les planter là ou de leur échapper longtemps s'il quittait la route à cet endroit-là. Il atteignit Saint-Gilles, courant comme un dératé, cherchant désespérément une cachette et n'en trouvant aucune. Sur sa gauche, le talus montait jusqu'au mur du cimetière. Derrière, les voix se faisaient plus triomphantes, sans être très proches, toutefois. Le tournant l'avait dissimulé à leur vue.

Soudain, surgie de l'obscurité près du mur, une voix basse, mais péremptoire, l'interpella : « Par ici! Vite!»

Haletant, Joscelin se tourna instinctivement dans sa direction, gravit en chancelant le talus et fut rattrapé par un long bras tendu vers lui. Une haute silhouette maigre, enveloppée d'une large cape sombre, s'était levée et ouvrait rapidement un passage dans la meule de foin, à l'angle du mur.

– Par ici, dit la voix aussi neutre que le visage était invisible. Cache-toi là!

Joscelin plongea tête la première dans le foin et le ramena vers lui avec frénésie. Il sentit l'inconnu reprendre sa place par terre, étaler sa cape et se tenir adossé à la meule; il le touchait de son dos osseux bien droit à travers la cape, l'habit et l'herbe sèche. Un homme sûrement, un vieillard certainement. La voix basse aurait pu appartenir à un homme ou à une femme, étouffée comme elle l'était, mais les épaules pressées contre lui étaient aussi larges que les siennes. Une main agrippant son genou à travers les tiges qui

103

bruissaient lui fit comprendre qu'il convenait de garder une immobilité totale; il obéit immédiatement. L'homme qui le cachait observait une immobilité bien à lui, un calme qui apaisait le cœur et l'esprit de Joscelin par son exemple bienveillant.

Les gardes arrivaient. Il entendit le bruit des sabots approcher et le premier cheval s'arrêter brusquement, ses fers glissant sur le gravier. Il pensa qu'ils avaient vu l'homme qui veillait près du mur : la lueur de l'aube était suffisante et la route s'étendait droit devant eux, déserte à coup sûr. Il entendit un garde mettre pied à terre et retint son souffle, certain qu'il allait escalader le talus.

— Lépreux! prévint le vieillard en faisant bruyamment cliqueter sa crécelle.

Il y eut un silence plein d'appréhension : le garde prenait l'avertissement au sérieux. Sur la route, le second garde se mit à rire :

— Il faudrait qu'il soit fou pour échanger même une geôle contre un lazaret!

Il éleva la voix : les vieillards infirmes sont notoirement durs d'oreille!

— Dis-moi! Nous sommes sur les traces d'un misérable qui est recherché pour vol. Il se dirigeait de ce côté. L'as-tu vu?

— Non, répondit le vieillard. (Non seulement sa voix était étouffée sous le voile, mais il avait du mal à articuler comme si parler lui posait des problèmes; avec effort et patience, les mots sortirent pourtant, bien distincts.) Je n'ai pas vu de voleur.

— Depuis combien de temps es-tu ici? As-tu vu passer quelqu'un?

— Je suis resté ici toute la nuit, dit-il laborieusement, personne n'est passé.

A en juger par le son, les deux gardes à pied venaient d'arriver, hors d'haleine. A quatre, ils se concertèrent à voix basse.

– Il a dû se faufiler entre les arbres et faire demi-tour, dit l'un d'eux. Revenez sur vos pas à droite de la route. Nous, nous allons jusqu'au poste de garde nous assurer qu'il ne s'est pas dissimulé, pour revenir ensuite par la gauche.

Les chevaux s'ébrouèrent, piétinèrent sur place avant de repartir au trot. Les deux gardes à pied avaient dû faire demi-tour et retourner sur leurs pas entre les arbres, fouillant les buissons à la recherche de leur gibier. Il s'ensuivit un long silence que Joscelin n'osa rompre.

– Étends tes jambes et calme-toi, dit enfin le vieillard, sans tourner la tête. Il ne faut pas bouger encore.

– Il y a une tâche que je dois accomplir, confia Joscelin à l'oreille dissimulée sous le capuchon. Dieu sait que je vous suis reconnaissant pour ce répit, mais je dois me rendre à tout prix à l'abbaye avant l'aube ou cette liberté que vous avez sauvegardée n'en vaudra pas la peine. Il y a quelque chose que je dois faire là-bas pour sauver quelqu'un.

– Quelle chose? demanda le vieillard d'une voix égale.

– Empêcher, si je le peux, le mariage d'aujourd'hui.

– Ah? s'étonna la voix patiente et décidée. Et pourquoi donc? Comment? Tu ne dois pas encore bouger; ils vont revenir et regarderont de ce côté. Tout doit être comme avant : un vieux lépreux qui a préféré dormir à la belle étoile plutôt que sous un toit, rien de plus.

Le foin bruissa; cela aurait pu être l'esquisse d'un soupir.

— Tu as compris ce qui s'est passé? As-tu peur de la lèpre, mon garçon?

— Non. (Joscelin hésita et réfléchit.) Ou plutôt si, ou plutôt je croyais en avoir peur. Je ne sais plus trop. Je sais que j'ai bien plus peur d'échouer.

— Nous avons le temps, affirma le vieillard. Si tu veux me raconter ce qui t'arrive, je t'écoute.

C'était seulement à quelqu'un comme cet inconnu, rencontré par hasard et qui avait immédiatement gagné sa confiance que Joscelin pouvait déverser tout ce qu'il avait sur le cœur. Cela lui parut soudain la chose la plus naturelle au monde de se confier sans retenue, de ne rien cacher de son amour outragé, des torts qu'on lui avait causés et des torts bien plus graves causés à Iveta. Au milieu de son récit, une pression de main sur son genou le fit taire et se figer dans l'immobilité, pendant que les deux gardes à cheval repassaient en direction de la ville. Et, lorsqu'ils se furent éloignés et que l'écho des sabots se fut perdu sur la route, Joscelin reprit le fil de son récit comme s'il ne s'était jamais interrompu.

— Donc tu pensais te cacher dans le cloître, réfléchit le vieillard à la fin du récit, et te dresser soudain pour défier en combat singulier ton ancien maître et l'offenser de telle façon qu'il lui serait impossible de se dérober sans perdre la face?

— C'est la seule solution que j'ai trouvée, répondit Joscelin, bien qu'à présent ses chances, exposées aussi nettement, lui parussent minimes.

– Alors, dit Lazare, reste tranquillement ici jusqu'à l'aube, car une crécelle, un capuchon et un voile peuvent faire de toi un être sans visage et sans nom. Je peux t'affirmer ceci : Huon de Domville n'a pas dormi dans son lit cette nuit. Il est parti à cheval par là-bas, tournant à droite de la route. Je n'ai pas quitté cet endroit depuis et, à moins qu'il ne connaisse un autre chemin pour revenir, il n'est pas encore de retour. Je pense qu'il est obligé d'emprunter le même chemin qu'à l'aller ; jusqu'à ce qu'il passe, nul fiancé ne se présentera devant l'autel. À nous deux, nous pouvons nous relayer pour guetter son retour. S'il revient ! Mais, s'il ne revient pas...

Ce fut la nuit la plus étrange que passa jamais Joscelin et la plus étrange aube. Avec l'aurore se leva une légère brume : de grandes nappes enveloppaient la vallée derrière la route, bien que le soleil perçât au-dessus de leurs têtes. Mais Huon de Domville ne revint pas.

– Reste caché jusqu'à mon retour, dit enfin Lazare.

Il se leva et pénétra dans la maladrerie, d'où il ressortit presque aussitôt en tenant une cape à capuchon comme la sienne et du tissu bleu pour le voile.

– Tu peux sortir et mettre cela... à moins que tu n'aies peur de porter l'habit d'un mort. Il repose dans ce cimetière. Quand ils viennent mourir ici, ils laissent leurs vêtements ; il y en a plein à l'intérieur. On brûle le linge, mais on nettoie les habits aussi bien que possible. Ce devait être un homme assez grand, tu y seras à l'aise.

Joscelin fit ce qu'on lui disait, comme un

enfant ou un homme emporté dans un rêve si bizarre qu'il doit se fier entièrement à son guide. Dans l'état où il était, il ne lui semblait pas étrange d'ouvrir son cœur à un lépreux, d'accepter, sans peur ni dégoût particuliers, la protection d'une cape de lépreux et d'être amené dans la maladrerie où étaient logés ces malheureux. C'était là la main qu'on lui tendait et il la saisissait avec spontanéité et gratitude. Il ne demanda même pas comment il pourrait se mêler aux malades. Leur nombre devait certainement être connu et il était trop grand pour passer inaperçu. Soit que Lazare eût glissé un mot à certaines oreilles ou soit que les pauvres, sentant instinctivement qu'un des leurs se trouve dans le besoin, fassent en sorte de l'accueillir et de le cacher discrètement, toujours est-il que ces femmes et ces hommes formèrent une sorte de bloc autour de Joscelin et le dissimulèrent parmi eux lorsqu'ils s'assemblèrent à l'église à l'heure de Primes.

Voyant autour de lui une grande variété de mutilations et de difformités, il fut pénétré d'une profonde et inhabituelle humilité. Il y avait longtemps qu'il n'avait aussi pieusement prêté attention aux paroles de la messe, longtemps qu'il n'avait partagé la ferveur des fidèles parmi lesquels il priait.

Quant à la surveillance de la route, Lazare l'avait confiée aux soins du petit Bran qui connaissait très bien l'aspect de l'homme qu'il devait guetter. Tout était fait pour Joscelin; nul refus ni paiement ne lui étaient possibles; il ne pouvait que baisser la tête parmi les fidèles et rendre grâces pour tous ces bienfaits; c'est ce qu'il fit.

CHAPITRE 5

On avait réveillé Iveta de bonne heure, car elle
devait procéder à une toilette fort élaborée.
Agnès et Madeleine la baignèrent, la vêtirent, la
parèrent, partagèrent sa chevelure d'or en une
douzaine de tresses brillantes qu'elles emprison-
nèrent dans une résille et qu'elles ceignirent d'un
bandeau d'or enchâssant des pierres précieuses.
Du serre-tête, un voile tissé d'or retombait sur la
nuque et les épaules, recouvrant le lourd brocart
broché d'or de sa robe. Elle se soumit à tout,
muette et le visage de glace, si pâle que ses bijoux
d'ivoire en paraissaient gris. Elle se tournait docilement sous les mains des servantes, courbait la
tête comme on le lui demandait, faisait tout ce
qu'on exigeait d'elle. Quand elle fut prête, elles la
prièrent de se tenir au milieu de la chambre,
immobile comme une statue de sainte dans sa
niche, chaque pli de sa robe ajusté à la perfection; elles lui demandèrent alors de ne plus bouger pour ne pas en froisser la splendeur. Elle resta
là, comme elles l'avaient installée et n'éleva
aucune protestation pendant tout le temps
qu'elles se paraient non moins splendidement.

Son oncle entra, tourna autour d'elle, les yeux mi-clos, le visage critique, et donna aux plis de son voile une symétrie encore plus rigoureuse avant d'exprimer sa satisfaction. Puis vint le chanoine Eudes, plein d'onction et de douceur, qui la complimenta non pas tant sur sa beauté ou son éclat digne de l'événement, que sur la chance exceptionnelle que représentait pour elle ce mariage et la reconnaissance qu'elle devait avoir pour ses tuteurs qui l'avaient arrangé. Les invités arrivèrent, admirèrent, envièrent avant d'aller prendre place dans l'église.

A dix heures sonnantes, heure de la grand-messe les autres jours, Iveta, accompagnée de ses suivantes, fut menée au bras de Picard sous le porche principal de l'hôtellerie, prête à s'avancer à la rencontre de son fiancé.

Il n'y eut qu'une seule faille dans ces préparatifs minutieux qui, jusqu'alors, s'étaient déroulés à la perfection : le fiancé ne vint pas.

Personne, pas même Picard, n'osa murmurer ou montrer de la contrariété pendant les dix premières minutes. Huon de Domville imposait sa propre loi et, bien que ce mariage lui fût certainement profitable, il le considérait avec condescendance. Être en retard était discourtois, certes, mais nul ne doutait qu'il vînt. Cependant dix autres minutes passèrent sans qu'aucun cortège n'apparût à la porterie, ni qu'aucun bruit de sabot ne se fît entendre à la Première Enceinte. Il y eut alors des murmures, des mouvements et des raclements de pied embarrassés et enfin des chuchotements. Ce frisson de doute tira Iveta, placée au premier rang, de sa torpeur glacée et lui coupa le souffle d'étonnement. Elle n'esquissa aucun geste ; seul le sang revint à ses joues et gonfla ses lèvres pincées, les rendant douces comme des pétales de rose.

Le chanoine Eudes sortit de l'église d'un pas léger et gracieux, mais toute son élégance ne pouvait dissimuler sa perplexité. Il parla à voix basse avec Picard, dont le front s'assombrissait et se plissait sous l'anxiété. Arrivé en retard du jardin et se hâtant pour prendre place parmi ses frères, Cadfael n'avait d'yeux que pour la fiancée et ne pouvait détacher son regard de cette minuscule poupée dorée qu'ils avaient faite d'elle : rien, jusqu'au fil le plus ténu, ne semblait réel, si ce n'est le petit visage de glace qui fondait sous l'or et l'étincelle qui, surgissant des tréfonds à la lumière du jour, reprenait vie dans les yeux couleur d'iris.

Elle fut l'une des premières à entendre le galop effréné à la Première Enceinte. N'osant tourner la tête, elle dirigea son regard vers la porterie où Simon Aguilon, vêtu de ses habits de noces, fit irruption, lança la bride au portier et sauta de cheval pour franchir à grands pas la cour vers l'hôtellerie, en proie, de toute évidence, à une vive agitation.

– Messire ! Je vous demande pardon. Il y a un contretemps. Nous ne comprenons pas...

Il attira le chanoine Eudes, les trois têtes se rapprochèrent et Agnès vint plus près, l'oreille tendue et les sourcils froncés. Leurs voix portaient, malgré tout. L'abbé et le prieur étaient sortis de l'église et gardaient, avec dignité, une certaine distance, dominant leur mécontentement. Les trois hommes ne pouvaient pas ignorer leur présence plus longtemps.

— Hier soir, lorsque nous sommes revenus à la maison... J'ai obéi à ses ordres, je ne les ai pas discutés, comment l'aurais-je pu? Il m'a dit qu'il avait envie de faire une petite promenade et que je devais rentrer et dire à ses serviteurs d'aller se coucher, car il ne désirait aucun service cette nuit-là, pas avant d'appeler ce matin. J'ai obéi! Avais-je le choix? Je pensais qu'il serait encore endormi ce matin, lorsque son valet irait le réveiller. Moi-même, j'ai dormi assez tard. On m'a réveillé une bonne demi-heure après Primes pour me dire qu'il n'était pas dans son lit et qu'il n'y avait pas dormi de la nuit : le lit n'était pas défait.

Le jeune homme avait élevé la voix, tous ceux qui se pressaient autour de lui avaient pu l'entendre. Ils gardaient le silence, leur attention rivée sur ce noyau de consternation qui naissait parmi eux.

— Père abbé! (Simon se tourna vers Radulf et le salua rapidement.) Nous avons grand-peur que quelque chose ne soit arrivé à mon maître. Il n'est pas rentré de la nuit, depuis qu'il m'a ordonné d'aller me coucher et de congédier ses serviteurs. Et il ne se serait certainement pas absenté ni n'aurait été en retard, s'il avait eu toute sa liberté et sa santé pour faire honneur à ce rendez-vous. Je crains qu'il ne soit blessé, d'une façon ou d'une autre, une chute de cheval, peut-être... Chevaucher de nuit est risqué, mais il voulait le faire. Il suffit d'un caillou sous le sabot ou d'un terrier de renard...

— Il vous a laissé au portail de la maison? questionna Radulf. Et a continué à cheval?

— Oui, vers Saint-Gilles. Mais je ne sais quelle direction il a prise ensuite, ni où il voulait aller, s'il voulait aller quelque part. Il ne m'a rien dit.

— Il serait bon de commencer par s'assurer qu'on ne l'a ni vu ni entendu passer sur cette route, remarqua sèchement Radulf.

— C'est ce que nous avons fait, mon Père, mais en vain. Le supérieur de la maladrerie ne l'a pas vu et nous sommes allés assez loin, sans résultats. Avant de poursuivre les recherches, il me fallait, par simple courtoisie, vous apporter la nouvelle. Mais j'en ai parlé à un des sergents du shérif, qui, avec sa patrouille, fouille les bois dans l'espoir de retrouver le prisonnier qui leur a échappé; ses hommes relèveront également toute trace éventuelle de messire Domville. Il a envoyé quelqu'un raconter au shérif ce qui s'était passé. Mon Père, vous comprendrez que je n'ai pas osé donner l'alarme trop vite ou questionner la conduite de mon maître, mais je pense qu'il est temps d'organiser des recherches approfondies. Il se peut qu'il gise quelque part, blessé et incapable de se mouvoir.

— Je vous approuve, déclara l'abbé d'un ton décidé avant de se tourner courtoisement vers Agnès Picard, qui était restée sur le qui-vive aux côtés de son époux, une main possessive agrippant la manche dorée d'Iveta. Madame, je pense que cette triste situation ne va pas durer et que nous retrouverons messire Domville sain et sauf, retardé seulement par quelque incident mineur. Toutefois, il serait préférable que vous emmeniez votre nièce à l'intérieur pour qu'elle puisse se reposer près de vous tranquillement, pendant que ces gentilshommes, et les frères de notre abbaye qui le désirent, partiront à la recherche du fiancé.

Agnès, anxieuse, fit un bref signe d'assentiment, avant d'entraîner la jeune fille hors de vue.

Les portes de leurs appartements se refermèrent sur elles. Iveta n'avait pas prononcé un seul mot.

On sella les chevaux et on partit : tous les invités, tous les serviteurs et les pages de la résidence de l'évêque, une troupe d'hommes d'armes du château, beaucoup de jeunes moines et de novices à pied et même un petit écolier dont l'ouïe fine avait capté la nouvelle et qui s'était caché avant qu'on le ramenât à l'école. Il paierait peut-être pour son escapade plus tard, mais il trouvait que cela en valait la peine.

Les cavaliers choisirent de remonter la Première Enceinte jusqu'à l'endroit où Domville avait congédié son écuyer et continué vers Saint-Gilles. Là, ils se séparèrent en deux groupes, puisque la route se divisait et ils se répartirent sur les bas-côtés. Les piétons prirent tout de suite les petits sentiers, certains se frayant un chemin dans les bois en aval, d'autres contournant l'étang du moulin pour rejoindre la vallée de la Meole et remonter vers l'amont à travers prairies et taillis.

Ce fut à ces derniers que se joignit Cadfael. Ils s'espacèrent en une longue ligne de façon à couvrir le plus de terrain possible et ils remontèrent le ruisseau à partir du domaine de l'abbaye. Dans cette région abondamment boisée, un homme à cheval choisirait de cheminer en terrain découvert ou sur des chemins et sentiers battus, et rechercher Domville près des premiers méandres était inutile si le point de départ était sa demeure. Ils marchèrent donc rapidement jusqu'à ce qu'ils eussent laissé le domaine abbatial loin derrière eux et qu'ils se fussent espacés dans la vallée en contrebas de la maladrerie. Ils apercevaient la petite tour de l'église juste au-dessus des buissons de la crête, là où passait la route.

A partir de ce moment, ils procédèrent plus lentement et méthodiquement, s'espaçant encore plus pour couvrir davantage de terrain. Ils connaissaient tous les sentiers dans lesquels ils s'engagèrent. De l'autre côté de la Première Enceinte, on devait être arrivés à leur hauteur et avancer pareillement, mais pour l'instant, il n'y avait encore eu aucun appel pour diriger les recherches ou les arrêter.

A présent, ils avaient probablement dépassé Saint-Gilles d'un demi-mille, et les champs en pente douce ainsi que les maigres taillis parsemés avaient cédé la place aux bois touffus. Le versant qui menait à la route étant abrupt à cet endroit-là, aucun sentier ne coupait leur chemin sur une bonne distance, jusqu'à ce que la pente s'adoucît. Ils parvinrent alors, comme ils s'y attendaient, à un large sentier d'herbes égales qui descendait de la route et se rétrécissait légèrement en pénétrant dans les bosquets plus épais. Ce sentier allait vers le sud-ouest, traversait par deux fois les méandres de l'étroit ruisseau au fond caillouteux et continuait ensuite, se rappelait Cadfael, vers la lisière de la Forêt Longue, distante de quelques milles.

Ils venaient d'atteindre ce sentier lorsque le petit écolier qui, dans son zèle, avait couru en cercle devant eux, revint en hâte, tout excité et désignant les bosquets derrière lui.

– Il y a un cheval qui broute là-bas dans une clairière! Il y a la selle, le harnais et tout, mais pas de cavalier.

Et, faisant demi-tour à toute vitesse, il repartit

comme une flèche, tous les autres sur ses talons. Le sentier, bien dégagé et fréquemment parcouru, était étroitement bordé d'arbres avant de s'élargir en une petite prairie luxuriante ; là, broutant placidement l'herbe sous les frondaisons de la lisière, le grand cheval noir de Huon de Domville errait tranquillement. Il ne manifesta qu'un léger étonnement en voyant soudain accourir tant de gens. Son harnachement était en ordre ; rien ne paraissait avoir été dérangé, mais il n'y avait nulle trace du cavalier.

— S'il s'était trouvé près de son écurie, dit le garçon tout excité en s'emparant fièrement de la bride, il y serait revenu de lui-même, et tout le monde aurait été alerté. Mais il était en territoire inconnu ; alors il a erré çà et là, une fois sa frayeur passée.

C'était le bon sens même et il tardait au gamin de continuer les recherches. Mais il pouvait y avoir, plus loin, quelque chose qu'un enfant ne devait pas voir. Cadfael regarda Frère Edmond, l'infirmier, qui se trouvait près de lui et lut la même pensée sur son visage. Si cheval et cavalier avaient été séparés par suite d'un choc ou d'une frayeur et s'ils avaient trouvé le cheval d'abord, cela signifiait probablement que Huon de Domville s'en retournait lorsqu'un malheur lui était arrivé, et s'il était resté gisant là toute la nuit, c'est qu'il était très mal en point. Homme dur et volontaire, il ne se serait pas laissé abattre par une petite blessure.

— Un cheval effrayé s'enfuit en avant, pas en arrière, poursuivit le gamin bavard, l'œil brillant, n'est-ce pas ? On continue ?

— Toi, dit Cadfael, tu vas avoir l'honneur de

ramener ce cheval à la résidence de l'évêque et tu leur diras où tu l'as trouvé. Puis tu retourneras à l'école. Si tu racontes bien ton histoire, tu peux ne pas être puni pour avoir fait l'école buissonnière.

D'abord atterré, l'enfant se rebella et se mit à discuter.

— Allez, hop! jeta Cadfael en coupant court à ses objections. Tu peux le monter. Mets ton pied ici... comme cela!

Ses deux mains jointes hissèrent le petit en selle avant que ce dernier ait eu le temps de choisir entre la déception et la fierté. Mais la sensation de monter une bête splendide fut la plus forte. Son visage rayonnant de joie béate, il prit les rênes d'un air important, dédaigna les étriers, trop longs pour lui, pressa du talon les flancs satinés et excita sa monture de la voix avec autant de désinvolture que s'il chevauchait de tels destriers tous les jours.

Ils le regardèrent s'éloigner pour être sûrs qu'il se tirait bien d'affaire et obéirait aux ordres qu'on lui avait donnés. Puis ils continuèrent leur chemin. Au bout de la clairière, les arbres se resserraient à nouveau sur le sentier. Par endroits, là où l'herbe était rase et le sol meuble, ils remarquèrent la trace d'un sabot. Ils avaient parcouru environ un quart de mille lorsque Frère Edmond, qui marchait en tête, s'arrêta soudain.

— Le voici!

Le corps épais et puissant gisait sur le dos, la tête contre les racines d'un gros chêne, les bras en croix. Les arbres poussaient très rapprochés et les ombres profondes noyaient les teintes vives des vêtements, si bien que le visage, tourné vers le ciel, surgissait de la pénombre verte, congestionné, les yeux exorbités et injectés de sang. L'aspect musclé et brutal des traits semblait avoir fondu et disparu comme la cire d'une bougie. Heureusement qu'ils avaient éloigné l'enfant, avant qu'il les eût devancés. Confronté à cette vision en toute vaillante innocence, il eût été bouleversé devant la révélation prématurée du Bien et du Mal !

Écartant Edmond, Cadfael s'avança et s'agenouilla près du corps immobile. Edmond le suivit immédiatement et s'accroupit de l'autre côté. Il avait l'habitude d'aider des vieillards à mourir, mais d'une mort aussi douce que pouvaient la rendre des soins attentifs et la compagnie d'amis ; aussi était-il atterré et intimidé par cette brusque disparition d'une vie vigoureuse. Les deux novices et le frère lai, qui les avaient suivis, se rapprochèrent et gardèrent le silence.

– Est-il mort ? demanda avec angoisse Frère Edmond, qui comprit tout de suite l'absurdité de sa question.

– Il est mort il y a quelques heures. Peut-être à l'aube. Son corps se refroidit, mais n'est pas encore froid.

Cadfael souleva la tête massive et sentit sur ses doigts la viscosité répugnante du sang coagulé. Haut sur la nuque, derrière et au-dessus de l'oreille gauche, le crâne dégarni révélait des ecchymoses d'où, par une douzaine d'égratignures, avait suinté du sang, qui séchait à présent. Là où le crâne avait heurté le tronc, et sur une longueur de quelques pouces au-dessus, le chêne portait les marques du choc. Cadfael se mit à tâter délicatement le pourtour de la blessure : les os du crâne ne semblaient pas atteints, car il ne sentait aucun creux sous ses doigts.

– Il a été désarçonné, hasarda Edmond en regardant faire Cadfael, et il est lourdement tombé sur ce tronc. Une telle chute aurait-elle pu le tuer?

– Peut-être, répondit machinalement Cadfael, jugeant que le moment n'était pas encore venu de prouver que les choses ne s'étaient pas passées ainsi.

– Ou s'il est resté ici sans connaissance, le froid de la nuit...

– Il n'est pas resté ici toute la nuit, coupa Cadfael. Il y a de la rosée sous lui. S'il a été désarçonné, c'est en arrière, comme vous le voyez, et non en avant. Le cheval n'a pas trébuché.

En effet, le corps gisait en partie sur le sentier, en diagonale, la tête contre l'arbre à droite, les pieds tournés dans la direction d'où les deux hommes étaient venus, dans la direction du ruisseau.

– C'était juste avant l'aube et il a été projeté en arrière. Il devait certainement revenir chez lui. Le sentier ne présente pas de passages difficiles, du moins pour quiconque le connaît; en outre, je crois qu'il faisait déjà jour, car, à mon avis, pour être jeté à bas si brutalement, il devait chevaucher à une allure assez rapide.

– Le cheval peut s'être cabré, suggéra Edmond. Un petit animal nocturne aura détalé sous ses sabots et l'aura effrayé...

– C'est possible.

Cadfael reposa doucement la tête de Domville, et le crâne blessé se retrouva sous la marque éraflée et sanglante du tronc.

– Il n'a pas bougé après la chute, affirma Cadfael. Vous voyez, seuls les talons de ses bottes se sont enfoncés profondément dans l'herbe, comme sous l'effet de convulsions.

Il se releva, laissant le corps où il était, et se mit à arpenter le sentier, le regardant sous plusieurs angles. L'un des novices avait eu le bon sens de s'en retourner à la rencontre des hommes du shérif qui arriveraient certainement de la résidence de l'évêque, dès que le gamin aurait annoncé la nouvelle. Ils auraient besoin d'une civière ou d'une porte ôtée de ses gonds pour rapporter le corps. Cadfael refit le chemin en sens inverse sur une douzaine de pas, puis revint lentement jusqu'à l'endroit où gisait le mort, examinant attentivement les arbres de chaque côté à une hauteur supérieure à sa modeste taille, comme le constata Frère Edmond, sans rien y comprendre.

— Que cherchez-vous, Cadfael?

Ce qu'il cherchait, il l'avait trouvé. Arrêté à quatre pas du cadavre, il avait fixé son attention d'abord sur le tronc de droite, bien au-dessus de sa tête, puis tout aussi intensément sur l'arbre d'en face.

— Venez voir. Venez tous pour pouvoir témoigner, quand je le raconterai.

A la même hauteur sur les deux troncs, il y avait une fine strie, qui coupait les belles écailles des écorces.

— On a tendu une corde entre ces arbres, à la hauteur de la gorge d'un homme de taille moyenne et monté sur un grand cheval, bien que, même à hauteur de poitrine, cela eût suffi à le désarçonner. A mon avis, il faisait assez clair pour qu'il ait pris le trot sur un si bon sentier, car il allait certainement à bonne allure. Vous voyez à

120

quelle distance il a été projeté. Nous devrions trouver une trace sur sa gorge.

Ils ouvrirent de grands yeux horrifiés et ne dirent mot; silencieux et atterrés, ils le suivirent jusqu'à l'endroit où reposait le corps. Cadfael retourna le col du manteau et dénuda le cou de Domville. La coupure rouge sombre faite par la corde ne fut pas la seule trace qu'ils trouvèrent sous la barbe. Sur la chair épaisse et musclée ils distinguèrent aussi les marques noirâtres et circulaires laissées par deux mains, dont les pouces entrecroisés avaient causé une large meurtrissure sur la pomme d'Adam et peut-être écrasé le cartilage.

Ils étaient encore bouche bée, gardant un silence atterré, lorsqu'ils entendirent des voix impatientes s'approcher dans le sentier, celle du shérif dominant les autres. L'annonce d'un malheur s'était propagée, mais, pour l'instant, sa gravité n'était connue que d'eux seuls.

Cadfael rabattit le col sur la preuve de la strangulation, et alla avec ses compagnons à la rencontre de Gilbert Prescote et de ses hommes.

Lorsque le shérif eut vu tout ce que Cadfael avait à lui montrer, on apporta une civière et on y hissa Huon de Domville, ramenant les pans de sa cape sur son visage. A l'endroit où l'on avait trouvé le corps, on dressa une croix faite de deux branches liées, qui permettrait de retrouver et de fouiller le lieu à loisir. Puis on le ramena, non pas à la résidence de l'évêque, mais à l'abbaye, afin qu'il reposât dans la chapelle ardente, et que les moines de Saint-Pierre, qui auraient dû assister à son mariage, fissent sa toilette mortuaire.

Le petit Bran, qui aurait pu passer pour un gamin de la Première Enceinte en ôtant simplement sa cape de lépreux, à condition d'être discret et de ne pas s'attarder, revint d'une prudente expédition sur la route pour faire son rapport aux deux hommes voilés, de haute taille, assis, leurs crécelles à la main, près du mur du cimetière.

— Ils l'ont trouvé. Je les ai vus le ramener. Ils l'ont emporté plus loin que la résidence de l'évêque; moi, je n'ai pas osé continuer.

— Vivant ou mort? demanda la voix posée et lente de Lazare, derrière le voile d'un bleu déteint.

Le gamin savait déjà ce qu'était la mort, ce n'était pas la peine de le ménager.

— Ils avaient recouvert son visage, dit-il avant de s'asseoir à côté d'eux.

Il sentit le silence et la tension de l'autre, du nouveau, de celui que l'on savait jeune et valide, et il se demanda pourquoi il tremblait.

— Ne dis rien, murmura Lazare tranquillement. Reprends ton souffle. Elle aussi va connaître le répit.

Les hommes d'armes déposèrent la civière dans la grande cour de l'abbaye; aussitôt, s'élevèrent de tous côtés des cris d'angoisse, qui firent soudain place à un silence figé, et tous ceux qui étaient concernés par cet événement accoururent et formèrent autour du corps une assistance muette, aux yeux écarquillés. Tous s'arrêtèrent à distance respectueuse, sauf le shérif et ses hommes et l'abbé Radulf, qui s'avança avec autorité. Picard surgit de l'hôtellerie, espérant envers et contre tout, mais il se figea à la vue de la silhouette drapée et du visage recouvert. Les femmes le suivaient, pleines d'appréhension. La petite statue dorée marchait comme si elle pouvait à peine supporter le poids de ses vêtements d'apparat; pourtant, elle s'approcha et ne détourna pas les yeux. Aucun doute à présent. Aussi dramatique qu'elle fût, cette mort était gage de vie pour elle. Pourquoi, pourquoi donc avait-elle menti la veille?

— Père abbé, dit Prescote, nous apportons une mauvaise nouvelle : nous avons retrouvé messire Domville, bien sûr, mais dans l'état où vous le voyez. Ce sont ces moines de votre abbaye qui l'ont découvert, jeté à bas de son cheval sur le sentier qui mène à travers bois jusqu'à Beistan. Son cheval broutait l'herbe tout près; il n'a rien et on l'a ramené à son écurie. Huon de Domville a été projeté contre un chêne et est mort. Il semblerait qu'il revenait chez lui lorsque ce malheur survint. Père abbé, voudriez-vous l'accueillir dans votre abbaye, vous occuper des soins du corps et de l'âme jusqu'à ce que toutes dispositions soient prises? Son neveu fait partie de sa suite, et le chanoine est aussi de sa famille.

Simon se tenait tout près, sans un mot. Il s'inclina et avala difficilement sa salive à la vue du corps sur la civière.

— Cette journée a pris un tour bien tragique, déclara gravement Radulf. Nous éprouvons du chagrin et de la compassion envers ceux que cette mort endeuille; nous leur offrons, aussi longtemps qu'ils le désirent, bien sûr, l'hospitalité de notre abbaye, les services de notre Ordre et le calme de notre hôtellerie. L'heure est au recueillement et à la prière. La mort nous accompagne chaque jour de notre vie ; il nous appartient de reconnaître sa présence et de la considérer non pas comme une menace, mais comme notre expérience commune sur la voie de la Grâce. Il n'y a plus rien à dire. Mieux vaut accepter la volonté de Dieu et garder le silence.

— Avec tout mon respect, Père abbé.

La voix de Picard s'éleva, dure comme l'acier, mais courtoise et respectueuse. Cadfael avait essayé de déchiffrer le visage de cet homme, mais sans trop y parvenir : il y lisait de la consternation, bien sûr, de la colère, de la frustration, mais également la rapidité de la réflexion.

— Avec tout mon respect, devrions-nous accepter si facilement que ce soit là la volonté de Dieu ? Huon de Domville connaît cette région, il a un rendez-vous de chasse pas loin, près de la Forêt Longue. Il a chevauché toute sa vie sans incident, de jour comme de nuit. Devons-nous croire qu'il s'est soudain montré moins habile et moins prudent la veille de son mariage, quand vous et moi savons bien qu'il est parti d'ici sobre et dispos ? Il a dit à son écuyer qu'il prendrait un peu l'air avant d'aller se coucher. C'était sûrement ce qu'il avait l'intention de faire. Et voici que brusquement, on le ramène mort, un homme dans la fleur de l'âge et en pleine possession de ses moyens ! Non, je refuse de le croire ! Il y a quelque vilenie là-dessous, et je veux en savoir plus avant d'être convaincu.

De toute évidence, Prescote avait délibérément omis de révéler immédiatement toute la gravité de la nouvelle, afin de voir si quelqu'un parmi l'assistance montrerait des signes de satisfaction en constatant que cette mort passait pour un accident. S'il en fut ainsi, et s'il découvrit quelque chose grâce aux regards aigus qu'il jetait au cercle des visages bouleversés, ce fut plus que ne réussit à obtenir Cadfael, qui poursuivait le même but. Il ne put, en effet, déceler une quelconque ombre de culpabilité ou de crainte, tous exprimaient la douleur et la consternation normales en pareilles circonstances.

— Je n'ai pas dit que sa mort était accidentelle, lança brutalement le shérif. Même sa chute ne fut pas le fait du hasard. Il fut jeté à bas de son cheval par une corde tendue entre deux arbres à une hauteur qui l'atteignit à la gorge. Mais ce ne fut pas la chute qui le tua. L'auteur de cette embuscade est resté pour parachever son œuvre, pendant que Domville gisait sans connaissance. Ce sont les mains d'un homme autour de sa gorge qui l'ont tué.

Toute l'assistance frissonna, comme secouée par une brusque rafale de vent, et l'on entendit les gens respirer lourdement. L'abbé leva les yeux et fixa le shérif.

— Vous voulez dire qu'il s'agit d'un meurtre?

— D'un meurtre de sang-froid, aussi bien exécuté que faire se peut.

— Et nous savons par qui! (Picard se pencha en avant, rayonnant de joie mauvaise comme un feu de brindilles.) Ne l'avais-je pas dit? C'est l'œuvre de ce jeune voleur, qui fut renvoyé du service de messire Domville. Il s'est vengé avec la noirceur d'un démon en tuant son maître. Qui d'autre l'aurait fait? Qui d'autre avait des griefs? Sinon Joscelin Lucy!

Un éclair doré jaillit soudain derrière lui, et Iveta lui fit face, l'agneau de la veille devenu un

chat sauvage, crachant de colère. Ses yeux dila-
tés, couleur d'iris, étincelaient comme des amé-
thystes. Sa voix s'éleva, aiguë et insolente, triomphante et narquoise même :

– C'est faux! Vous savez, vous savez tous que
cela ne peut pas être vrai! L'avez-vous oublié?
C'est le seul qui ne peut être qu'innocent de tout
cela : il est enfermé à double tour dans le château
de Shrewsbury depuis deux jours et sur une
accusation aussi fausse que celle-ci, mais Dieu
soit loué, le geôlier du shérif peut témoigner qu'il
n'a pas pu commettre ce meurtre!

La lumière se fit dans l'esprit de Frère Cadfael
à la manière d'un coup d'assommoir, qui le laissa
étourdi, incapable, au premier abord, de saisir
toutes les implications de ces paroles. Il n'était
pas difficile, à présent, de deviner le pourquoi de
son attitude calme et résolue, lorsqu'elle avait été
interrogée par l'abbé. Ils l'avaient tenue soigneusement enfermée; ils lui avaient caché la fuite de
Joscelin quand cela aurait été un réconfort et une
joie pour elle. A présent, puisque cette nouvelle
signifiait la fin de tout réconfort, ils allaient se
retourner contre elle et la lui jeter au visage. Ils
s'y empressaient déjà, les deux Picard, Agnès la
plus déchaînée et criant le plus fort :

– Pauvre folle, il n'est pas prisonnier. Il s'est
enfui avant de franchir le pont; il est en liberté,
ruminant sa vengeance...

– C'était un voleur; maintenant, c'est un loup
traqué dans les bois; il a tué votre fiancé et il sera
pendu!

Tout l'éclat, toute la vaillance disparurent du
visage de la jeune fille. Elle resta un moment
pétrifiée, et ses lèvres formèrent un « non » de

protestation, que nul n'entendit. Puis ses joues devinrent plus blanches que neige. Elle porta la main à son cœur et tomba, petit tas d'or chiffonné, comme un oiseau abattu en plein vol.

Madeleine, la suivante, accourut précipitamment, l'air important; toutes les femmes se pressèrent autour de la petite silhouette évanouie; Picard, laissant échapper un cri qui était plus d'exaspération que d'inquiétude, se pencha pour lui saisir le poignet, et la remettre debout. Elle leur était un reproche et une gêne; ils voulaient qu'elle disparût de la vue et des pensées de l'assistance. Cadfael ne put s'empêcher d'intervenir, avant qu'elle n'étouffât sous leurs robes ou que son oncle ne lui tordît un poignet. Il fonça au milieu du groupe et écarta les bras pour les éloigner.

— Paix! Laissez-la respirer, elle s'est évanouie. Ne la relevez pas encore!

Frère Edmond, habitué à soigner de tels évanouissements, le seconda fort efficacement de l'autre côté; en la présence de l'abbé, les invités pouvaient difficilement refuser l'aide et l'autorité de ceux qui, dans cette enceinte, avaient la charge des malades. Même Agnès recula tout en arborant un visage froid et méfiant, lorsque Cadfael s'agenouilla près de la jeune fille et, lui soulevant la tête, remit en place ses membres tordus.

— Pliez une cape pour la glisser sous sa nuque! Où est Frère Oswin?

Simon enleva sa cape et en fit rapidement un oreiller. Oswin accourut du groupe des novices, qui regardaient bouche bée.

— Va me chercher la fiole de vinaigre de

menthe et d'oseille, qui se trouve sur l'étagère près de la porte, et un flacon de potion d'herbes amères! Vite!

Cadfael reposa doucement la tête de la jeune fille sur l'oreiller improvisé par Simon, prit les poignets et se mit à les frictionner méthodiquement. Le visage d'Iveta était pincé et blanc-bleuté comme de la glace. Oswin revint toujours au galop, en apportant, qui plus est, les bons remèdes. Son cas à lui n'était pas désespéré! Agenouillé de l'autre côté de l'adolescente, Frère Edmond lui fit respirer le vinaigre à la menthe et l'oseille et vit palpiter et frémir les narines. Une légère convulsion, semblable à un éternuement, souleva la poitrine menue et les lignes accusées des pommettes et du menton s'adoucirent peu à peu. Au-dessus de sa nièce inconsciente l'oncle, qui l'avait abandonnée à ses médecins, revint à sa vengeance en redoublant de sous-entendus venimeux.

– Le doute est-il possible? Il n'avait pas d'armes quand il s'est enfui, ni aucun moyen de s'en procurer. Seul un homme qui ne peut faire autrement tue à mains nues. Le vaurien est robuste, costaud, et parfaitement capable d'un tel crime. Personne d'autre n'avait de grief envers Huon. Lui, le fugitif, en avait un, et sérieux. Il n'a reculé devant rien pour se venger. Il encourt la mort à présent. Il doit être pourchassé et, s'il le faut, abattu à vue comme un chien enragé, car c'est un danger pour quiconque l'approche. Cela le mènera à la potence!

– Mes hommes fouillent bois et vergers en ce moment, dit sèchement Prescote, et ce, depuis qu'une patrouille a débusqué un homme dans la

Première Enceinte tôt ce matin; mais il ne faisait pas encore jour et ils n'ont fait que l'apercevoir. Pour ma part, je doute qu'il s'agît de Lucy; c'était plus vraisemblablement un petit rôdeur pillant la nuit les poulaillers et les cours. Les recherches continuent et elles continueront jusqu'à ce qu'on le trouve. Tous les hommes dont je dispose y participent.

— Prenez mes hommes également, s'empressa de proposer Picard, ainsi que ceux de Huon. Nous tous avons l'obligation à présent de trouver son assassin. Il n'y a pas de doute dans votre esprit, n'est-ce pas, que Joscelin Lucy est bien l'assassin?

— Cela ne semble que trop évident. Il y a là tous les signes d'une haine désespérée. Nous ne lui connaissons pas d'autre ennemi.

Cadfael s'activait calmement auprès d'Iveta tout en écoutant ce qui se disait : les rares paroles et les silences réservés de l'abbé, les exhortations vindicatives de Picard, les instructions méthodiques prises par le shérif en vue de continuer et d'élargir les recherches, tout le dispositif de la loi se refermant sur Joscelin Lucy. Il remarqua soudain que le visage d'Iveta reprenait des couleurs et vit les premiers battements délicats des paupières et l'ombre des longs cils d'or sombre frémissant sur les joues. Ouvrant ses yeux couleur d'iris, elle le regarda avec terreur et sans comprendre. Ses lèvres s'entrouvrirent. Comme par hasard, Cadfael y posa un doigt et ferma brièvement les yeux. Le danger couru par Joscelin, contrairement à celui qu'elle courait, elle, avait rendu de la vivacité d'esprit à Iveta. Les paupières, veinées comme des campanules, se refermèrent et restèrent closes. Elle paraissait privée de sens, mais on voyait qu'elle allait bientôt reprendre connaissance.

– Elle commence à bouger, dit Cadfael. Nous pouvons la transporter à l'intérieur à présent.

Il se releva et la prit dans ses bras avant que Picard, Simon ou un autre pût le faire.

– Elle doit se reposer quelques heures maintenant qu'elle est revenue à elle. C'était un malaise sérieux.

Il fut surpris de sa légèreté et convaincu que ses habits d'apparat pesaient plus qu'elle ; et pourtant cet être frêle, si docile et si résigné à son propre sort, s'était dressé dans une protestation héroïque pour l'amour de Joscelin. Même l'accusation de vol et l'idée de prison lui avaient apporté réconfort et joie lorsqu'elles avaient servi à écarter l'accusation, infiniment plus grave, de meurtre. Quand elle retrouverait ses esprits et se souviendrait de tout, elle serait partagée entre la crainte pour sa vie puisque ce meurtre pouvait le conduire au gibet, et l'espoir qu'il s'échapperait, puisqu'il était encore en liberté. L'espérance, une nouvelle fois, s'offrit à Iveta de Massard pour disparaître aussitôt.

– Madame, si vous voulez bien m'indiquer le chemin...

Agnès releva le bas de sa robe somptueuse et le précéda majestueusement dans l'hôtellerie jusqu'à ses appartements. On ne pouvait pas dire, pensa Cadfael, qu'elle ne se faisait aucun souci pour sa nièce, puisque celle-ci représentait la majeure partie de sa fortune, qu'elle se souciait fort de défendre. Mais, envers Iveta elle-même, ses sentiments dominants étaient l'agacement et le dépit. A l'heure qu'il était, le mariage aurait dû les débarrasser de la jeune fille, cette charge qu'ils avaient négociée avec profit. Cependant, elle avait encore son prix, elle possédait encore le grand domaine et les titres de son père, et même l'épée et le heaume du paladin Guimar de Massard qu'avaient chevaleresquement renvoyés les Fatimides d'Égypte et qui étaient peut-être les seuls objets de son héritage à échapper à la convoitise de Picard.

— Vous pouvez l'étendre ici.

A en juger par ses regards soupçonneux, Agnès n'avait pas oublié qu'il était le moine dont elle avait rapporté les mensonges à l'abbé; mais cela avait peu d'importance à présent, puisque Joscelin Lucy avait cessé d'être une menace pour sa tranquillité d'esprit et n'était plus qu'un gibier traqué à mort.

— Puis-je faire quelque chose pour elle?

Iveta était étendue sur son lit; elle soupira et resta immobile dans tout cet or, comme si elle avait été monnaie frappée!

— Si vous aviez l'amabilité de me trouver une coupe pour qu'elle boive cette décoction d'herbes lorsqu'elle aura repris connaissance. C'est un remontant amer et efficace qui lui évitera d'autres évanouissements. Et je pense qu'il faudrait plus de chaleur dans la chambre : un petit brasero ferait l'affaire.

Force fut à la tante de prendre ces conseils au sérieux. Il lui avait donné assez à faire pour qu'elle s'absentât de la pièce, mais elle ne resterait absente que cinq minutes au plus. Les servantes avaient attendu dans le couloir. Elle sortit majestueusement pour leur donner ses instructions.

Iveta ouvrit les yeux. Le même moine! Elle avait reconnu sa voix et lui avait jeté un bref coup d'œil pour s'en assurer. Mais lorsqu'elle essaya de parler, les larmes la firent bredouiller. Heureusement, il écoutait attentivement et entendit.

— Ils ne me l'ont jamais dit! Ils m'ont affirmé que le vol pourrait lui valoir la potence.

— Je sais.

Cadfael attendit.

— Ils ont prétendu que si je ne m'acquittais pas de tout correctement, ne disais pas ce qu'il fallait dire et dissipais tout soupçon,... Huon aurait la tête de Joscelin.

— Oui... Silence, maintenant, doucement! Oui, je sais!

— Mais si je faisais tout ce qu'il fallait, il serait libéré...

Oui, elle avait été prête à se vendre, à livrer son corps, ses aspirations et ses espoirs pour que Joscelin fût libéré. Elle avait un courage bien à elle.

— Aidez-le, dit-elle, ses yeux immenses comme des fleurs mauves trop grand ouvertes; elle referma sur la main de Cadfael des doigts aussi fins et aussi irrésistiblement forts que des pattes d'oiseau.

— Il n'a pas volé ni tué... Je le sais!

— Je l'aiderai, si je peux! répondit Cadfael dans un souffle en se penchant pour la dissimuler à la vue d'Agnès sur le seuil.

Elle comprit tout de suite et se laissa retomber en une résignation muette, les yeux clos; sa main était vide et sans forces, comme auparavant. Ce ne fut qu'après de longues minutes qu'elle rouvrit les paupières, leva les yeux, répondit d'une voix faible et étonnée lorsqu'Agnès s'enquit de sa santé, avec une anxiété non feinte, mais peu d'amabilité, et qu'elle but la potion d'herbes amères que Cadfael lui présenta.

— On doit la laisser seule se reposer, conseilla-t-il en prenant congé, soucieux de lui procurer, dans la mesure du possible, la solitude dont elle avait besoin, et de lui épargner la compagnie de gens dont la présence l'oppressait. Elle va dormir. De tels évanouissements sont aussi épuisants qu'un grand effort. Si le Père abbé le permet, je reviendrai la voir avant les Vêpres, et lui apporterai un sirop, qui lui assurera une nuit paisible.

Cela, au moins, ils le lui permettraient. Ils la tenaient si solidement en leur pouvoir qu'il lui était impossible de s'échapper, mais à présent, ils ne pouvaient rien faire d'elle, ni plus rien faire contre elle. Domville étant mort, il faudrait tirer de nouveaux plans, le champ était ouvert à d'autres soupirants. Ce n'était pas la délivrance, bien sûr, mais c'était un répit, du temps pour réfléchir aux circonstances de cette mort violente et au sort du malheureux jeune homme qui en était accusé. Nombreuses étaient les questions qui n'avaient pas été encore posées, ni, à plus forte raison, résolues.

Ce fut vers midi qu'un des hommes d'armes ratissant les taillis et les jardins derrière les maisons du nord de la Première Enceinte s'approcha de son sergent et dit avec enthousiasme :

— Il n'y a qu'un seul jardin qui n'ait pas été fouillé de ce côté, et à mon avis, on ne ferait pas mal d'y aller voir. La résidence même de l'évêque de Clinton !

Et lorsqu'on se moqua de lui en lui démontrant

la folie qu'il y aurait eu à se fourrer dans la gueule du loup, il défendit son idée avec acharnement :

– Ce n'est pas folie! Supposez que cet homme vous entende tous autant que vous êtes, en train de vous moquer de cette idée. C'est lui qui doit bien rire s'il s'y cache et si vous refusez de croire cela possible. Le seul endroit que vous avez écarté est le seul endroit où il peut être assez rusé pour se réfugier. Et n'oubliez pas que son cheval est là, et avec tout ce remue-ménage, qui va vérifier si l'écurie n'est pas laissée ouverte?

Le sergent apprécia l'argument à sa juste valeur et ordonna une fouille du jardin, des étables, des écuries, du verger et de tout le terrain. Ils finirent par arriver au fenil à côté du mur. Ils n'y trouvèrent pas Joscelin Lucy, mais la preuve formelle que quelqu'un s'était couché dans le foin et avait laissé un croûton de pain ainsi qu'un trognon de pomme, outre l'empreinte, bien visible dans l'herbe sèche, d'un jeune corps de grande taille. Joscelin connaissait cet endroit et la petite porte n'était pas barrée. Personne ne douta de l'identité de l'hôte disparu.

Quant à l'homme d'armes qui avait insisté pour qu'on fouillât le fenil, s'il ne recueillit pas les fruits d'une capture, il reçut de l'avancement et ne fut, somme toute, pas mécontent de son initiative.

CHAPITRE 6

Dans la chapelle mortuaire, Huon de Domville gisait nu sous un suaire de lin. Autour de lui se tenaient l'abbé et le prieur, le shérif du comté, son neveu et écuyer, messire Godfrid Picard qui aurait dû être, à présent, son oncle par alliance et Frère Cadfael.

Simon Aguilon n'avait pas quitté la cape et les gants qu'il portait lorsqu'il avait activement pris part aux recherches de la matinée ; il paraissait – à juste raison – harassé et inquiet devant les responsabilités qui lui incombaient soudain en tant que plus proche parent du défunt. Mordillant sa barbe noire bien taillée, Picard réfléchissait, l'air maussade, aux pertes subies et aux solutions qui lui restaient. Radulf prêtait une attention tranquille et soutenue aux explications de Cadfael.

Homme du monde autant qu'homme d'Église, l'abbé avait une grande expérience, mais cette expérience n'incluait pas de tels actes de violence, qui, en revanche, n'avaient pas de mystère pour l'ancien soldat et marin qu'était Cadfael. De façon exceptionnelle pour un homme d'une telle expérience, Radulf savait avec précision quelles étaient ses lacunes et était désireux de s'instruire. Veiller à l'honneur et à l'intégrité de son abbaye était son premier souci et ce critère impliquait la justice pure et simple. Quant au prieur Robert, son cœur de Normand était révolté devant cet assassinat d'un seigneur normand. A sa façon, il voulait la vengeance aussi sûrement que Picard.

— Les blessures de la nuque, dit Frère Cadfael, posant la paume sous la tête fraîchement lavée et peignée, n'auraient pas été mortelles s'il n'y avait eu qu'elles. Mais le coup l'a assommé et l'a laissé sans défense. Maintenant, regardez...

Il retira le suaire et dénuda la poitrine de taureau ainsi que les bras massifs.

— Il est tombé sur le dos, la tête contre l'arbre, les bras et les jambes en croix. C'est ainsi que l'ont vu messire Prescote, ici présent, ainsi que Frère Edmond et des novices de cette abbaye. A cause de ses habits, je n'ai pas remarqué alors ce qui m'est apparu depuis. Regardez la partie interne et supérieure de ses bras, ces marques noirâtres et circulaires sur le muscle. Voyez ces bras étendus et réfléchissez à ce qui a pu lui tomber dessus alors qu'il gisait sans connaissance. Son ennemi s'est agenouillé sur ses bras et lui a serré la gorge.

— Mais n'aurait-il pas réagi? demanda gravement l'abbé en suivant le doigt brun et court de Cadfael qui soulignait les traces du crime.

— Il a essayé (Cadfael se souvint des empreintes profondes que les talons des bottes de Domville avaient laissées dans l'herbe). Mais instinctivement seulement, comme on réagit à des blessures quand on n'a plus la force de résister à la douleur. Il était sans connaissance et incapable de combattre son assaillant. Et ce dernier avait des mains fortes et résolues. Regardez là où il a enfoncé ses pouces, l'un sur l'autre : la pomme d'Adam a été écrasée.

Il n'avait pas encore eu l'occasion d'examiner de plus près cette blessure d'une sauvagerie brutale. Sous la barbe courte, l'entaille faite par la corde avait tracé une ligne rouge sombre dont les gouttes de sang avaient été nettoyées. Les marques noires, laissées par les mains de l'étrangleur, étaient très nettes.

— Tout cela indique un assaillant follement résolu à tuer, constata Picard d'un ton amer.

— Ou un assaillant fou de peur, ajouta doucement Cadfael. Désespéré devant son acte, un acte qui ne lui ressemble pas, un acte décidé à la hâte et le dépassant par son caractère monstrueux.

— Vous pourriez parler du même homme, avança Radulf d'une voix mesurée. Ce corps peut-il nous révéler autre chose?

Oui, apparemment. Sur le côté gauche du cou de Domville, là où devaient avoir serré le médius et l'annulaire de la main droite laissant leur marque sombre, la contusion était barrée par une courte égratignure dentelée, comme si un caillou aigu avait été enfoncé dans la chair. En silence, Cadfael réfléchit un instant à ce léger détail insignifiant et décida qu'il n'était peut-être pas aussi insignifiant que cela.

— Une petite coupure nette, pensa-t-il tout haut, en l'examinant attentivement, et à côté, cette trace peu profonde. L'homme qui a fait cela portait une bague au médius ou à l'annulaire de sa main droite. Une bague ornée d'une pierre assez grosse pour s'enfoncer autant dans la chair.

Une bague qui ne doit pas être très serrée, car elle a un peu tourné lorsqu'il a étranglé messire Domville. Sur le médius, certainement... Si elle avait été trop grande pour l'annulaire, il l'aurait mise au médius. Je ne vois pas d'autre explication à cette ecchymose.

Il regarda les visages attentifs qui l'entouraient.

— Le jeune Lucy avait-il une bague semblable ?

Prescote haussa les épaules en signe d'ignorance. Après un moment de réflexion, Simon répondit :

— Je ne me rappelle pas l'avoir vu porter une bague. Mais je ne peux pas certifier, non plus, qu'il n'en avait pas. Je pourrais poser la question à Guy.

— On enquêtera à ce sujet, dit le shérif. Y a-t-il autre chose ?

— Je ne pense pas ; à moins de chercher à savoir où allait messire Domville cette nuit-là, et dans quel but, pour qu'il se soit trouvé sur ce sentier à pareille heure.

— Nous ne connaissons pas l'heure, fit remarquer Picard.

— C'est vrai. Il n'est pas possible de déterminer depuis quand un homme est mort, à quelques heures près. Pourtant l'herbe sous lui était humide. Mais il y a autre chose : tout prouve — bon, d'accord, gardons-nous de conclusions hâtives ! — tout semblerait montrer qu'il revenait chez lui lorsqu'il fut attaqué. Or le piège a été tendu avant son arrivée. Par conséquent, celui qui a préparé ce guet-apens, et donc, qui a tué messire Domville, savait où il était allé et par quel chemin il devait revenir.

— Ou il a dû le suivre dans la nuit et préparer son coup, dit le shérif. Nous sommes sûrs à présent que Lucy est parvenu jusqu'au fenil du jardin de l'évêque et qu'il s'y est caché; mais l'obscurité venue, il a très bien pu en sortir et préméditant sa vilenie, surveiller en cachette les allées et venues de son maître. Il savait que Domville souperait ici à l'abbaye, car toute la maisonnée était au courant. Il ne lui aurait pas été difficile de se dissimuler et d'attendre son retour; le voir continuer sa route, seul, après avoir donné congé à son écuyer pour la nuit, lui fournissait l'occasion rêvée pour se venger. Il fait peu de doute que Lucy soit notre homme.

Il n'y avait rien à ajouter. Le shérif retourna à ses recherches, convaincu d'avoir vu juste; et, à tout prendre, comme le reconnut Cadfael, on ne pouvait guère le blâmer, le cas s'avérait désespéré. Huon de Domville fut laissé aux soins de Frère Edmond et de ses assistants, et son cercueil commandé à Martin Bellecote, le maître charpentier de la ville, car, qu'il fût enterré ici ou ailleurs, il lui fallait un beau cercueil, convenant à son rang, pour le conduire à sa dernière demeure. Son corps n'avait plus rien à révéler.

Ou du moins, c'était ce que pensait Cadfael jusqu'à ce qu'il résolût, de retour à l'herbarium, de relater les circonstances de l'assassinat et de l'enquête à Frère Oswin, tout en triant des haricots pour les semis de l'année suivante. Oswin écouta avec la plus grande attention. A la fin, il dit sans logique apparente : « Étrange qu'il soit parti sans chaperon, une nuit de fin octobre! et un homme chauve, en plus! »

Cadfael s'immobilisa et le fixa d'un regard

ébahi et émerveillé, par-dessus une poignée de grains :

— Qu'est-ce que tu viens de dire?

— Eh bien! un homme qui n'est plus tout jeune et qui part en pleine nuit, tête nue...

Sans hésiter, il avait mis le doigt sur le seul détail que Cadfael avait négligé. Domville n'était pas parti tête nue de la porterie; cela, c'était certain. Cadfael lui-même l'avait vu s'éloigner, son élégant chaperon cramoisi, dont la frange dorée se balançait, enroulé en une coiffe élaborée; pourtant Cadfael n'avait pas pensé à le rechercher à l'endroit où gisait le corps, et n'avait pas remarqué son absence.

— Mon enfant, s'exclama-t-il chaleureusement, je te sous-estime trop. Rappelle-le-moi la prochaine fois que je te tirerai les oreilles, car je le mériterai. Il portait effectivement un chaperon, et je ferais bien d'essayer de le retrouver.

Il ne demanda pas d'autorisation, préférant considérer que le congé acquis le matin pour se joindre aux recherches pouvait raisonnablement s'appliquer à un prolongement de l'enquête. Il disposait encore de temps avant les Vêpres s'il se dépêchait; l'endroit, d'ailleurs, était bien signalé par la croix improvisée.

L'herbe sous le chêne avait conservé la forme vague du corps de Domville, mais les brins se redressaient déjà. Cadfael arpenta le sentier, les yeux rivés au sol, puis pénétra dans les fourrés des deux côtés, mais en vain. Ce fut un rai de lumière soudain, s'infiltrant parmi les branches et perçant l'épais sous-bois, qui lui signala ce qu'il cherchait en faisant briller la frange dorée du haut du chaperon. Il était tombé de la tête de son propriétaire lorsque celui-ci avait été désarçonné, et s'était logé dans des buissons à quelques pas du sentier, les lourdes torsades à la mode l'ayant entraîné au loin sous un tel choc. Cadfael le ramassa. Les plis en turban avaient été soigneusement arrangés, ils formaient encore une coiffure compacte dont un côté drapé était destiné à pendre gracieusement sur l'épaule. Et dans les plis rouge sombre brillait un petit bouquet d'un bleu éclatant. A un moment donné, au cours de sa chevauchée nocturne, Huon de Domville avait ajouté à sa parure ces tiges fragiles et droites aux belles feuilles vertes lancéolées et aux fleurs en forme d'étoiles d'un bleu ciel, que toute une journée à l'abandon n'avait pas réussi à ternir. Cadfael retira le bouquet des plis du chaperon et le regarda avec stupéfaction, car, si cette plante avait des cousines assez ordinaires, elle était, elle, une espèce rare.

Il la reconnut immédiatement, bien qu'elle fût peu fréquente, même dans les endroits ombragés du pays de Galles, où il l'avait vue quelquefois. A sa connaissance, elle n'avait été trouvée nulle part dans cette région d'Angleterre. Quand il voulait des graines pour faire des poudres ou des infusions contre les coliques ou les calculs rénaux, il devait se contenter des parents pauvres de cette rareté. « Mais que fait donc ici ce bouquet de grémil pourpre? se demanda-t-il en regardant les fleurs tardives et maintenant un peu abîmées. Domville ne l'avait certainement pas en quittant l'abbaye! »

C'était dommage de ne pas avoir le temps de poursuivre plus avant, puisqu'il devait rentrer pour soigner Iveta et assister aux Vêpres. Les promenades nocturnes de Domville commençaient vraiment à l'intriguer! Au fait, Picard n'avait-il pas dit que le baron avait un rendez-vous de chasse près de la grande forêt? Partant de la Première Enceinte, ce sentier pouvait fort bien être le plus court chemin y menant. Bien sûr, cet endroit risquait de se trouver n'importe où sur des milles de lisière, mais cela valait peut-être la peine de suivre la route que le défunt avait empruntée. Pas aujourd'hui pourtant, cela était hors de question.

Cadfael enfouit le petit bouquet bleu et le chaperon sous sa bure, et s'en retourna. Il était de son devoir, bien sûr, de les remettre tous les deux, avec les explications nécessaires au shérif, mais il n'était pas du tout certain de vouloir le faire. Le chaperon, oui, car cela n'ajoutait rien qu'on ne sût déjà; mais cette parcelle de beauté qui se fanait en disait trop long. C'était là où elle se trouvait que s'était rendu Domville, et il n'y avait sûrement pas, dans tout le comté, plus d'un endroit où elle poussait. Il n'en connaissait que trois en Gwynedd, dans son milieu naturel, et il s'étonnait d'en trouver ne fût-ce qu'une seule dans la région. Prescote était un homme droit et impartial, bien sûr, mais trop arbitraire dans ses jugements et déjà persuadé de la culpabilité de Joscelin. Qui d'autre avait des griefs contre le baron? Cadfael n'était pas convaincu. Ce qu'il avait entendu dire sur le meurtre le laissait sceptique. Il y a des gens qui sont capables de tuer sournoisement et d'autres qui ne le sont pas, et rien ne pouvait le persuader du contraire. Chaque homme peut être amené à tuer, mais seuls certains peuvent être amenés à tuer par traîtrise, par le couteau dans le dos ou la corde tendue en travers du chemin.

Il revint à l'abbaye, comme il le devait, et remit le chaperon au sergent, que Prescote avait laissé à la porterie, avant d'aller à son herbarium chercher le sirop de pavot pour Iveta.

Cette fois-ci, ils ne le laissèrent pas un instant seul avec elle. La servante Madeleine, de toute évidence dévouée corps et âme à Agnès, resta près d'eux, l'œil vigilant et l'oreille tendue. Tout ce qu'il put donner à la jeune fille, outre ses soins, fut l'assurance de son soutien constant, que prouvait sa présence même. Au moins, ils purent échanger des regards et interpréter ce qu'ils y lisaient. Il pouvait faire en sorte qu'elle trouvât le sommeil et un sommeil profond –, pendant qu'il réfléchirait à la meilleure façon de l'aider, et... d'aider Joscelin Lucy par la même occasion? Elle n'éprouverait guère de reconnaissance envers un soutien qui ne s'étendrait pas à son bien-aimé, pour lequel elle avait été prête à sacrifier tout son bonheur futur.

Cadfael se rendit aux Vêpres avec, sous sa bure, le petit bouquet bleu qui se fanait.

Pendant toute la journée, Frère Marc avait été troublé de façon vague, mais persistante par la sensation qu'il se passait, au sein de sa maladrerie, quelque chose qu'il ne comprenait pas. Cela avait commencé à l'heure de Primes, quand toutes ses ouailles, à part un ou deux enfants, étaient entrées ensemble dans l'église. Bien sûr, il ne les comptait jamais. Lorsqu'ils étaient plus malades ou moins en forme que d'habitude, ils pouvaient rester ou se reposer; personne ne les forçait à se rendre au service et donc leur nombre variait. En outre, même pendant cette messe très

143

courte, il y en avait certains qui devaient soulager leur souffrance en bougeant, quoi de plus compréhensible? Tout le groupe se déplaçait donc et changeait un peu d'aspect. Ce qui étonnait Frère Marc, c'était cette impression de masse inattendue, et la sensation que la lumière avait diminué dans l'espace déjà réduit et sombre de l'église. Ses malades comptaient cinq ou six hommes de haute taille, mais il connaissait l'allure et la démarche de chacun, ainsi que le boitillement et l'aspect plus ou moins voûté qui différenciaient même ceux qui étaient voilés.

Une ou deux fois pendant l'office de Primes, il avait cru discerner le port altier d'une tête encapuchonnée et un visage voilé qui lui avaient paru étrangers, mais il les avait constamment perdus de vue. Ce ne fut qu'à la fin qu'il se rendit soudainement compte qu'il n'en était ainsi que parce que les malheureux se répartissaient de façon à dissimuler l'intrus.

« Intrus » semblait une appellation exagérée pour un lieu dont les portes étaient ouvertes à tous; pourtant, si le nouveau venu avait été un vrai lépreux, faisant là une halte de plus dans un pèlerinage d'une vie, il se serait présenté, et il n'y aurait eu nul besoin de ces mystérieux va-et-vient, ni de cette dissimulation. Mais quel homme valide et sain d'esprit choisirait de venir se cacher là? Il faudrait qu'il fût désespéré!

Marc s'était presque persuadé qu'il rêvait; mais, lorsqu'il eut distribué le pain, la farine d'avoine et la bière au petit déjeuner, et bien que là encore il ne comptât pas, – qui compte ce qui est donné aux malheureux? –, il sut qu'il lui restait moins de provisions que prévu : une de ses ouailles avait pris de la nourriture pour quelqu'un d'autre.

Il savait, bien sûr, que les hommes du shérif fouillaient les bois et les jardins entre Saint-Gilles et la ville, et avant midi, la nouvelle de la mort de Huon de Domville était parvenue jusqu'à lui. Leur isolement n'empêchait pas les lépreux d'être au courant de tout; ce qui était arrivé dans la ville et dans l'abbaye s'était immédiatement su à la maladrerie, y compris la façon dont était mort le baron et l'accusation de meurtre lancée contre son écuyer en fuite. Mais Frère Marc ne s'était pas soucié de ces rumeurs, car il avait du travail à faire, à commencer par ses tâches médicales du matin; aussi ne fut-ce qu'une fois le dernier pansement changé et la dernière plaie passée à la pommade qu'il se mit à réfléchir à ce qui le troublait. Même alors, il lui fallut vaquer à d'autres occupations : inscrire les dons faits à la maladrerie, organiser un groupe parmi les moins atteints pour ramasser du bois pour l'hiver sur le domaine de Sutton, droit octroyé par le défunt seigneur et reconduit par son fils, aider à la préparation du déjeuner, vérifier les comptes du supérieur et une douzaine d'autres obligations de cet ordre. Ce ne fut que l'après-midi qu'il eut le loisir d'accomplir certaines tâches dont il s'était volontairement chargé : lire l'office à un vieillard grabataire et donner des leçons à Bran. C'étaient des leçons très faciles, en fait, presque des jeux, mais cependant l'enfant désirait ardemment savoir lire et apprenait aussi facilement et naturellement qu'il respirait.

Marc lui avait fabriqué un petit bureau à la taille de ses huit ans chétifs; ce jour-là, il lui prépara soigneusement une feuille de vieux parchemin nettoyé en laissant, sur son bureau à lui, les morceaux effilochés qu'il avait enlevés. Leur « salle de classe » était un coin minuscule de la grande salle, situé près d'une étroite fenêtre qui laissait passer la lumière nécessaire. Quelquefois, ils utilisaient, à la fin, le reste de la feuille à des jeux d'enfants que gagnait généralement Bran. Le parchemin pouvait toujours être nettoyé en le raclant et être réutilisé maintes et maintes fois jusqu'à devenir trop effiloché et transparent.

Marc sortit à la recherche de son élève. Le temps était dégagé, mais doux et humide. Nombre de lépreux s'étaient sans doute postés sur le bord des routes, leur crécelle à la main, se tenant à humble distance des passants à qui ils lançaient leur supplique. Mais, près de sa place habituelle, à côté du mur du cimetière, il vit la haute taille de Lazare, la tête et le dos bien droits sous son capuchon et son voile. Assis tout contre lui, Bran s'appuyait confortablement sur les cuisses du vieil homme, et, les deux mains levées, entrelaçait entre ses doigts écartés un morceau de gros fil, dont il tenait un bout entre les dents. Les mains de l'homme se joignaient à l'entrelacs. Ils jouaient au vieux jeu du « berceau », et le garçon s'étouffait de rire sur la ficelle qu'il mordillait.

Qu'une telle harmonie entre le grand âge et l'enfance était agréable et réconfortante! Les voyant si absorbés, Marc hésita à les déranger. Il allait se retirer et les laisser à leur jeu lorsque l'enfant l'aperçut et lâcha son mors pour s'écrier :

– Je viens, Frère Marc! Attendez-moi!

Il dégagea ses doigts du « berceau », lança un « au revoir » joyeux à son compagnon qui défit

146

l'entrelacs sans un mot, et accourut avec empressement pour glisser sa main dans celle de Marc et sautiller à ses côtés en pénétrant dans la grande salle.

— Nous passions le temps en attendant que vous m'appeliez, dit l'enfant.

— Es-tu sûr que tu ne préférerais pas rester à jouer dehors tant qu'il ne fait pas encore froid? C'est comme tu veux. Nous pourrons étudier les soirs de mauvais temps, près du feu, pendant tout l'hiver.

— Oh non! je veux vous montrer comme je sais bien tracer les lettres que vous m'avez apprises.

Il entraîna Frère Marc à l'intérieur, s'assit à son bureau et se mit à lisser fièrement le nouveau morceau de parchemin. Marc ne s'était pas encore rendu compte de ce que ses yeux avaient vu. Ce ne fut qu'en regardant la petite main serrer soigneusement la plume d'oie qu'il comprit soudain. Il aspira l'air si bruyamment que Bran le regarda vivement, croyant être en train soit de mal faire, soit de faire exceptionnellement bien, et Marc s'empressa de le rassurer et de le complimenter.

Mais comment avait-il pu ne pas voir ce qu'il avait sous le nez? La taille était la même, le port de tête, la largeur des épaules coïncidaient, tout était identique, sauf que les mains auxquelles Bran avait entrelacé sa ficelle avaient tous leurs doigts, et étaient lisses, souples et belles : des mains de jeune homme.

Frère Marc, pourtant, ne souffla mot de sa découverte au supérieur de la maladrerie, ni à personne d'autre, ni n'entreprit d'affronter l'intrus. Ce qui le frappa le plus et lui fit retenir sa langue fut l'unanimité qu'avaient montrée ses pauvres ouailles pour accueillir le fugitif en leur sein, avec peu de paroles certainement, et aucune explication, se contentant de l'entourer de la solidarité silencieuse du malheur partagé. Il ne s'arrogerait pas, à la légère, le droit d'arrêter cet élan, ni celui de contester la justesse de ce jugement.

Les poursuivants revinrent bredouilles à la tombée de la nuit. Guy, recrue récalcitrante, pénétra lourdement dans la chambre qu'il partageait avec Simon, se débarrassa de ses bottes et s'affala sur son lit en poussant un brusque et profond soupir d'exaspération.

— Tu as de la chance d'avoir évité cette corvée! Des heures à se traîner dans les buissons, à fouiller les porcheries et à faire fuir les poules en pleine mue! Je te jure que je pue le fumier! Le chanoine Eudes est revenu en vitesse de l'église pour nous mettre à la tâche, mais son zèle n'est pas allé jusqu'à se porter volontaire pour ce sale travail! Le bonhomme est retourné à ses prières, grand bien lui fasse!

— Et tu n'as pas vu Joss? demanda anxieusement Simon, le bras dans la manche de sa plus belle cotte.

— Si je l'avais aperçu, j'aurais détourné la tête et n'aurais rien dit. (Guy étouffa un énorme bâillement et étendit paresseusement ses longues jambes.) Non, je ne l'ai pas vu. Le shérif a entouré la ville d'un cordon qu'une souris ne parviendrait pas à franchir et ils ont prévu des recherches méthodiques plus au nord demain, et si cela échoue, du côté du ruisseau après-demain. Je t'assure, Simon, qu'ils sont décidés à le capturer. Sais-tu qu'ils ont même fouillé les dépendances de cette maison? Et qu'ils ont découvert que lui ou quelqu'un d'autre s'était caché dans l'un des bâtiments près du mur?

Simon acheva de s'habiller, l'air pensif et morose.

— Je sais. Mais apparemment, il en est parti depuis longtemps... si c'était bien lui!

— Crois-tu qu'il se soit déjà enfui loin d'ici? Que dirais-tu si, cette nuit, nous négligions de verrouiller l'écurie de Domville? Ou si nous amenions Briard à l'écurie ouverte qui se trouve dans la cour? Mieux vaut une petite chance qu'aucune!

— Si nous savions, au moins, où il se cache... Mais j'ai réfléchi et suis de ton avis, ajouta Simon. Nous ferions mieux de sortir la pauvre bête et de lui donner de l'exercice. Qui sait, si on me voit le chevauchant et que Joss vienne à l'apprendre, il pourrait essayer d'entrer en contact avec nous?

— J'en conclus que, pas plus que moi, tu ne crois à cette accusation, remarqua Guy, soulevant sa tête ébouriffée et jetant un coup d'œil perçant à son ami. Pas plus qu'à cette triste affaire du collier dans les sacoches. Je me demande quel misérable chien parmi les serviteurs a reçu l'ordre de l'y cacher. Ou crois-tu que notre maître s'en soit chargé lui-même? Depuis le temps que je le connais, il n'a jamais eu peur d'exécuter en personne ses basses besognes.

Au service du baron depuis l'âge de douze ans, commençant comme page au sortir de la maison familiale, Guy avait acquis une sorte d'indulgence indifférente envers son redoutable seigneur, qui n'avait jamais eu l'occasion de se montrer redoutable envers lui.

— Malgré tout, ce fut une vile manière de se débarrasser de lui, dit-il, et j'y pense encore... Si Joss était fou de rage, et à juste titre, je ne mettrais pas ma tête à couper qu'il ne l'a pas tué. Même de cette façon-là !

— Moi, si, répliqua Simon avec assurance.

— Ah toi ! (Guy se leva nonchalamment et donna une tape sur l'épaule de son compagnon.) Les autres ont des opinions, toi, tu es sûr de savoir. Fais attention : tu pourrais regretter un jour d'avoir été trop confiant. Et maintenant, que je te regarde ! ajouta-t-il en retouchant le col du manteau d'apparat de Simon pour lui donner une allure irréprochable. Tu es très élégant, ce soir ! Où vas-tu ?

— A l'abbaye, tout simplement, rendre visite aux Picard. Une visite de courtoisie, maintenant que le plus dur est passé et que les esprits se calment. Ils ont failli devenir ses parents, ils ont le droit de partager son deuil. Cela ne me coûte rien de me montrer déférent à l'égard de cet homme, mon aîné et mon conseiller, jusqu'à l'enterrement de mon oncle. Il faudra envoyer des messages à ma tante dans son couvent de Wroxall et à un ou deux cousins éloignés. Eudes peut se rendre utile en les rédigeant : il a le style fleuri qui convient.

— Je t'avertis, lança Guy, en allant paresseusement réclamer de l'eau chaude pour ses ablutions, le shérif et Eudes te forceront à venir avec nous participer aux recherches demain. Ils sont décidés à l'envoyer à la potence.

— Je peux toujours détourner la tête, comme toi, riposta Simon, avant de partir présenter ses respects à un homme qui avait failli devenir son parent et avait espéré avoir les droits d'un parent à l'heure qu'il était.

Iveta reposait sur son lit ; le sirop de pavot dosé par Frère Cadfael à portée de main, elle se sentait l'esprit tranquillisé par la petite, mais brûlante source de réconfort, qu'avait été la promesse d'un bon sommeil que le moine lui avait faite. Pourtant, elle ne voulait pas encore s'endormir. Il y avait une sorte de plaisir passif à être seule dans la chambre tout en sachant que Madeleine se tenait à portée de voix. Ils l'avaient laissée seule si rarement toutes ces dernières semaines, leur présence s'interposait comme une ombre entre le soleil et elle. Ce n'était que la veille, et encore pendant un court laps de temps et en l'observant à distance, qu'ils l'avaient envoyée là où elle ne manquerait pas d'être remarquée et serait interrogée, pour qu'elle répondît ce qu'il fallait et démontrât avec quelle assurance tranquille elle consentait à son sort haïssable. Et pendant tout ce temps, ils avaient su que Joscelin n'était pas prisonnier, mais en liberté quelque part, même si cette liberté était celle d'un homme traqué.

C'était fini. Elle ne se laisserait plus berner. Elle pouvait se raccrocher à deux réalités : on ne l'avait pas capturé et elle n'était pas mariée.

Elle perçut le frôlement d'une main sur la porte et se recroquevilla, silencieuse et aux aguets. La porte s'ouvrit sur Agnès, mais celle-ci avait le visage presque bienveillant et la voix presque affable, afin, certainement, de donner le change au visiteur qui la suivait. Iveta la regarda, stupéfaite devant un tel changement.

— Vous êtes encore éveillée, mon enfant ! Voici un ami qui vient s'enquérir de votre santé. Peut-il entrer quelques instants ? Vous n'êtes pas trop fatiguée ?

Simon était déjà entré, arborant ses plus beaux atours et ses plus belles manières à l'intention des Picard. Ses belles manières, d'ailleurs, devaient avoir produit grand effet, car il avait eu l'incroyable permission de rester seul avec elle. Agnès se retirait, son plus beau sourire de convenance aux lèvres.

— Quelques minutes seulement. Elle ne doit pas trop se fatiguer, ce soir.

Elle était sortie ; la porte s'était refermée sur elle. Le visage avenant et juvénile de Simon abandonna instantanément toute circonspection. S'avançant à grands pas vers le lit d'Iveta, il s'empara d'un siège, s'assit près d'elle. Elle se redressa joyeusement sur ses oreillers, sa chevelure d'or se répandit sur les épaules de sa chemise de lin.

— Doucement, l'avertit-il, un doigt sur les lèvres. Parlez bas, votre dragon pourrait nous écouter. On m'a laissé brièvement entrer pour vous saluer et m'enquérir de votre santé. Dieu sait le chagrin que j'ai eu à vous voir si bouleversée ! Ne vous avaient-ils pas dit qu'il s'était enfui ?

Elle hocha la tête, le cœur presque trop lourd pour pouvoir parler :

— Oh Simon ! y a-t-il d'autres nouvelles ? Pas...

— Ni bonnes, ni mauvaises, coupa-t-il du même murmure bas et rapide. Rien n'a changé. Il est encore en liberté, et Dieu fasse qu'il y reste ! Ils

152

vont reprendre les recherches, je le sais. Mais moi aussi, dit-il sur un ton significatif, en prenant la petite main qui se tendait aveuglément vers lui. Allons, reprenez courage! Ils ont fouillé partout, aujourd'hui et personne ne l'a aperçu ni n'a mis la main dessus. Qui sait? il est peut-être hors d'atteinte depuis longtemps. Il est robuste et audacieux...

— Trop audacieux, dit-elle tristement.

— Mais il a encore des amis, malgré toutes les accusations portées contre lui, des amis qui ne croient pas à sa culpabilité!

— Oh Simon! ce que vous me dites me fait tant de bien!

— Plût à Dieu que je pusse faire davantage pour vous et pour lui! Mais rassurez-vous, à présent, il vous suffit d'attendre et d'être patiente. Il y a déjà une menace qui ne pèse plus sur vous. S'il demeure libre, tout danger immédiat est écarté et vous pouvez attendre.

— Vous ne croyez vraiment pas qu'il ait volé, ni qu'il ait tué? plaida-t-elle avidement.

— Je sais pertinemment qu'il n'a rien fait de tout cela, répondit Simon d'une voix ferme avec l'assurance qu'avait gentiment critiquée Guy. Son seul crime a été d'aimer qui il ne devait pas. Oh! je sais tout, ajouta-t-il rapidement, en la voyant frémir et détourner le visage. Pardonnez-moi si je me montre un peu indiscret, mais c'est mon ami et il m'a parlé en ami. Je sais tout, donc.

Il jeta un coup d'œil inquiet par-dessus son épaule et lui adressa un sourire qui se voulait rassurant.

— Votre tante doit commencer à s'impatienter. Je vais partir. Mais rappelez-vous : Joss n'est pas abandonné de ses amis.

– Je m'en souviendrai! s'écria-t-elle avec ferveur et j'en remercie Dieu et vous. Vous reviendrez, Simon, n'est-ce pas, si vous le pouvez? Vous n'imaginez pas à quel point vous me réconfortez!

– Je reviendrai, promit-il en se penchant rapidement pour lui baiser la main. Passez une bonne nuit et n'ayez pas peur!

Il se dirigeait vers la porte lorsqu'Agnès l'ouvrit, l'air toujours bienveillant, mais le regard aux aguets. En tant que neveu de Huon de Domville, ce jeune homme profitait de la déférence montrée à son oncle de son vivant. Mais la surveillance exercée sur Iveta ne se relâcherait jamais tout à fait, tant qu'elle n'aurait pas fait un mariage profitable, et que les bénéfices n'auraient pas été solidement assurés.

La porte se referma. Iveta s'apprêtait à dormir, à présent, le cœur bien plus léger. Elle but la potion de Frère Cadfael, épaisse et mielleuse, et souffla sa chandelle.

Lorsque Madeleine entra d'un pas furtif et soupçonneux, Iveta était déjà endormie.

Après Complies, Frère Cadfael demanda audience à l'abbé Radulf dans son bureau du logis abbatial. C'était une heure idéale pour une conversation des plus graves, clôturant une journée où les passions s'étaient déchaînées et précédant le repos indispensable de la nuit.

– Mon Père, je vous ai dit tout ce que je savais sur cette affaire, à part un détail. Vous n'ignorez pas que je m'y connais en plantes. Dans le chaperon que j'ai rapporté et fait parvenir au shérif ce soir, j'ai trouvé une fleur que je sais être extrêmement rare, même au pays de Galles où elle croît à certains endroits. Je ne l'avais jamais rencontrée ici auparavant. Pourtant, Huon de Domville, lors de sa dernière nuit sur cette terre, s'est rendu à un endroit où pousse cette plante. Mon Père, j'estime que ce détail revêt la plus haute importance; je désirerais trouver ce lieu et découvrir ce qu'avait à y faire le défunt la veille de son mariage. Je crois que cela peut avoir un rapport avec son assassinat, avec la façon dont il est mort et l'identité de celui qui l'a tué.

Dans sa paume, il tenait le petit bouquet fané : les tiges fines étaient presque desséchées, les feuilles effilées et vertes, et les fleurs, en forme d'étoile, flétries, mais encore étonnamment bleues.

— Montrez-moi cela, dit l'abbé. (Il les examina avec étonnement.) Et vous êtes capable de dire où pousse une telle plante et où elle ne pousse pas?

— Elle pousse en fort peu d'endroits, sur des sols crayeux ou calcaires. Je n'en ai jamais vu en Angleterre jusqu'ici.

— Et vous croyez que cela vous aidera à deviner où la victime a passé la nuit?

— Nous savons par quel sentier il revenait. C'est par ce même sentier qu'il est certainement parti, après avoir laissé son écuyer au portail. J'aimerais, si vous m'en accordez l'autorisation, suivre ce sentier et trouver cette fleur. Je pense que des vies humaines, qui n'ont à se reprocher que la colère et l'insouciance de la jeunesse, dépendent de cette petite fleur.

— Des faits semblables sont arrivés maintes et maintes fois, dit l'abbé Radulf. Notre but est la justice; la miséricorde est le privilège de Dieu. Vous avez ma permission, Frère Cadfael, de poursuivre vos recherches aussi longtemps que vous le jugerez nécessaire. Vous avez toute ma confiance.

— Dieu sait que j'en fais grand cas, répondit sincèrement Cadfael. Vous avez et vous aurez toujours la mienne. C'est à vous que je ferai part de tout ce que je découvrirai.

— Et pas au shérif? demanda Radulf avec un sourire.

— Si, bien sûr, mais par votre entremise, mon Père.

Frère Cadfael revint au dortoir et dormit comme un chérubin jusqu'à ce que la cloche sonnât Matines.

CHAPITRE 7

Lorsque Cadfael sortit de l'office de Primes, le lendemain matin, Prescote était déjà à pied d'œuvre, en train de diriger les recherches du côté nord de la Première Enceinte. Ce jour-là, ils mèneraient une grande opération de ratissage lente et systématique, qui couvrirait près de trois milles, et dont les mailles seraient si serrées que nulle belette ou lièvre ne pourraient passer au travers. Le shérif était décidé à mettre la main sur son gibier cette fois-là; il avait la quasi-certitude qu'il n'avait pas franchi le cordon des gardes, qui avait été renforcé pendant la nuit. Picard y participait à la tête de tous ses hommes, et le chanoine Eudes était probablement, dans la résidence de l'évêque, en train d'exhorter les gens de Domville à la même corvée. Et bien que certains, sans aucun doute, fissent preuve de mauvaise volonté, la fièvre de la chasse est quelque chose de si contagieux que la plupart des poursuivants redoubleraient de zèle, s'ils venaient à croiser la trace de leur gibier.

Plus d'une fois, Frère Cadfael regretta profondément que Hugh Beringar ne fût pas à ses côtés pour tempérer la rigidité des mesures de Prescote. Un doute de bon aloi quant à sa propre omniscience habitait l'esprit et la conscience du shérif-adjoint, toujours étrangement sceptique devant ce qui était une conclusion évidente pour les autres. Mais Hugh Beringar se trouvait dans le nord du comté, dans son manoir de Maesbury, et ne voudrait certainement pas en bouger avant quelques semaines, car sa femme allait donner naissance à leur premier enfant, moment crucial dans la vie de tout homme. Il n'y avait rien à faire; c'était sous la direction de Gilbert Prescote qu'il faudrait résoudre cette affaire. « Et encore, nous pouvons nous estimer plus heureux que dans beaucoup de comtés », reconnut Cadfael équitablement. « C'est un homme droit et honnête, même s'il accepte trop vite les solutions rapides et la justice sommaire, et même s'il a tendance à ne pas voir au-delà de l'évidence. » Mais qu'on lui montre la vérité étayée par des preuves et il l'acceptait. Des preuves, voilà ce qu'il fallait!

En attendant, Frère Cadfael mit beaucoup de soin à instruire Frère Oswin des tâches qu'il aurait à accomplir ce jour-là. Une semaine à peine auparavant, il l'aurait occupé en lui trouvant assez de bêchage et de travail à faire à l'extérieur, et il aurait prié avec ferveur que ce grand maladroit n'éprouvât pas le besoin d'entrer dans l'herbarium. Ce jour-là, il le chargea non seulement de l'élagage d'hiver, mais aussi de la surveillance d'une mesure de vin qui commençait à travailler, et de la préparation d'un onguent pour l'infirmerie. Ils avaient déjà fait ensemble ce même onguent, et Cadfael en avait expliqué les différentes étapes du travail au fur et à mesure.

Se retenant noblement de les répéter et de les détailler à nouveau, il ne donna à Oswin que la plus brève et la plus confiante des récapitulations.

— Je te confie l'herbarium, dit-il fermement; je te fais totalement confiance.

« Et Dieu me pardonne ce mensonge et le transforme en vérité », murmura-t-il, assez loin pour ne pas être entendu. « Ou du moins qu'Il me le compte comme bonne action, et non comme péché! Si je t'ai quelquefois mis les nerfs à vif, Oswin, mon garçon, voici l'occasion de voler de tes propres ailes. Profites-en! »

A présent, il avait toute la journée devant lui et devait prendre comme point de départ l'endroit où était mort Domville. Il choisit le chemin le plus court, un raccourci risqué et pas très orthodoxe, qu'il avait parfois emprunté lors d'autres affaires plus sombres. Tant qu'elle longeait les champs et les jardins de l'abbaye, la Meole était passable à gué sauf en période de crue, à condition de bien la connaître, ce qui était le cas de Cadfael. Il s'épargna ainsi le détour par la route, n'ayant que la peine de relever son habit; quant à ses sandales de moine, l'eau en sortait aussi facilement qu'elle y entrait. Au moment où finissait le chapitre à l'abbaye, il avançait d'un bon pas sur le sentier, ayant déjà dépassé le lieu de l'assassinat.

Il connaissait cette partie du sentier; elle coupait directement un grand méandre du ruisseau. Il approchait à présent du second gué qui l'éloignerait de la boucle et le conduirait à travers bois et champs jusqu'à Sutton et Beistan, une région peu peuplée qui était à la lisière des vastes étendues de la Forêt Longue. Il ne pensait pas que

Domville avait eu des milles et milles à faire, ni qu'il avait passé la nuit dehors. Parfaitement capable d'endurer cela et même pire au besoin, c'était un homme qui aimait ses aises, lorsque les conditions étaient plus douces.

A Sutton Strange, les bois laissaient la place aux champs. Cadfael échangea quelques mots avec un vilain, dont il avait soigné autrefois les enfants pour un eczéma ; il demanda si la nouvelle de la mort de Domville était parvenue jusqu'au village. Oui, fut la réponse, c'était même le principal sujet de conversation à des milles à la ronde, et les habitants s'attendaient déjà à ce que les recherches fussent étendues à leurs maisons et à leurs étables dès le lendemain.

— J'ai entendu dire qu'il avait un rendez-vous de chasse par ici, avança Cadfael. A la lisière de la forêt, m'a-t-on assuré, mais cela peut vouloir dire n'importe où sur dix milles. Est-ce que vous savez où c'est ?

— Ah ! c'est sûrement la maison après Beistan, répondit le vilain, s'appuyant confortablement contre le mur de son jardin. Il a le droit de chasse dans la forêt, mais il y est venu rarement. Il n'y a qu'un gars du coin comme gardien et une vieille femme, sa mère, pour s'occuper de la maison quand il n'y a pas de visiteurs, comme c'est souvent le cas. Il a de meilleurs terrains de chasse ailleurs. Ou plutôt, il avait. On dirait que c'est lui qu'on a piégé, cette fois !

— Et on n'y a pas été de main morte, rétorqua Cadfael. Comment m'y rendre ? En traversant Beistan ?

— C'est cela : traversez l'ancienne route et continuez par les collines. Comme vous vous en apercevrez, le sentier devient presque une ligne droite. Vous arriverez à la lisière et juste après, vous verrez la maison.

Cadfael reprit son chemin d'un bon pas et déboucha sur la grand-route au village de Beistan; le sentier qui coupait cette route continuait en droite ligne, longeant quelques fermes isolées avant de s'enfoncer dans des étendues morcelées de taillis et de landes qui alternaient avec des pentes douces. Au bout d'un mille environ, il redevint sentier forestier, étroitement bordé d'arbres. Le sol qui affleurait était blanc et crayeux, et en terrain découvert, la bruyère rugueuse égratignait les chevilles de Cadfael. Il y avait longtemps qu'il n'avait pas été si loin à pied et si l'objet de sa quête n'avait pas été si grave, cette marche lui aurait procuré un plaisir sans mélange.

Il tomba soudain sur le rendez-vous de chasse; les arbres s'écartèrent et découvrirent un mur bas en pierres entourant une maison aux grosses poutres, basse de plafond et dotée d'un sous-sol. Le mur longeait des communs à l'arrière de l'enclos. Entre ses pierres blanches et inégales poussaient toutes sortes de plantes : de la linaire, du lierre, de l'orpin et de la brunelle, reconnaissables à leurs feuilles, même lorsque, comme à présent, il ne restait quasiment plus de fleurs. On voyait des arbres fruitiers dans l'enclos, mais ils étaient peu nombreux, vieux et rabougris, comme si, autrefois, quelqu'un s'était occupé d'un verger, qui serait à présent négligé et oublié; un ancêtre de Domville, peut-être, père d'une famille nombreuse, et qui avait transformé cette forteresse agréable en demeure favorite, alors que durant ses dernières années, un homme d'âge mûr, sans enfants, n'en avait pas eu l'usage, sauf en période de chasse, et même dans ce cas il lui avait préféré, dans son vaste domaine, des terrains plus giboyeux.

Ouvrant le portail, Cadfael pénétra dans la propriété. Son regard fut instantanément attiré par un buisson de genêts poussant contre le mur, dans le coin du portail. Car on ne pouvait s'y tromper : c'était un buisson de genêts, qui en cette saison, pourtant était en fleurs, et ses fleurs, peu nombreuses et en forme d'étoiles, étaient d'un bleu éclatant et limpide, au lieu d'être jaune d'or. Il s'approcha et s'aperçut que les trois rangées inférieures du mur ainsi que le sol à côté étaient abondamment tapissés de tiges fines et droites, finissant en longues feuilles étroites. Le tapis qu'elles formaient atteignait les racines du genêt, et envoyait ces longues tiges frêles s'entrelacer dans ses branches, projetant en pleine lumière des parcelles rayonnantes et tardives d'un bleu ciel.

Il avait trouvé son grémil et donc l'endroit où Huon de Domville avait passé la dernière nuit de sa vie.

– Vous cherchez quelqu'un, mon frère?

La voix derrière lui était très respectueuse, presque obséquieuse, et pourtant aussi tranchante qu'un couteau bien affûté. Cadfael se retourna vivement pour faire face à son interlocuteur et se trouva devant les mêmes caractéristiques ambiguës. L'homme avait dû sortir des communs près du mur de derrière; c'était un gaillard bien découplé de trente-cinq ans environ, vêtu de grosse laine, mais montrant une dignité qui frisait la bravade. Ses yeux rappelaient les galets au fond d'un ruisseau baigné de soleil : ils en avaient la dureté et la clarté, et son regard était aussi limpide que fuyant. C'était un bel homme brun à l'allure agréable, mais son assurance manquait de naturel et sa courtoisie d'amabilité.

— Vous êtes bien le régisseur de Huon de Domville ? demanda poliment Frère Cadfael avec prudence.

— Oui, répondit le jeune homme.

— Alors, c'est à vous que je dois transmettre le message dont on m'a chargé, bien que je ne le croie pas très nécessaire... Vous savez peut-être déjà, car j'ai constaté que la nouvelle était parvenue jusque par ici, que votre maître est mort, assassiné, et qu'il repose à présent à l'abbaye Saint-Pierre et Saint-Paul de Shrewsbury, à laquelle j'appartiens.

— C'est ce que nous avons appris hier, dit le régisseur, son attitude se détendait quelque peu après l'explication logique de cette visite, mais pas autant qu'on aurait pu s'y attendre.

Il restait sur la défensive et surveillait ses paroles.

— Un de mes cousins m'a fait part de cette nouvelle en revenant du marché, ajouta-t-il.

— Mais personne de la suite de votre maître n'est venu vous voir ? Vous n'avez pas reçu d'ordres ? Je pensais que le chanoine Eudes aurait pu vous avertir. Mais vous comprendrez qu'ils sont encore tous plongés dans la confusion et la consternation. Nul doute qu'ils vous feront connaître leurs décisions, à vous ainsi qu'à tous ses manoirs, quand ils prendront les dispositions nécessaires.

– Ils voudront d'abord capturer son assassin, bien sûr, dit l'homme en se passant la langue sur les lèvres et en observant Cadfael à la dérobée de ses yeux fuyants et durs comme des galets. Sa famille me fera signe quand elle le jugera bon. En attendant, je suis encore à son service jusqu'à ce qu'un autre me confirme dans ma charge ou m'en défasse. Je prendrai soin de son bétail et de ses biens, ainsi que je le dois, et les remettrai à son héritier en parfaite condition. Dites-le pour moi, mon frère, et que personne ne se fasse de souci pour cette propriété. Qu'ils soient tranquilles! (Il ferma les yeux un instant, l'air pensif.) Vous avez bien dit « assassiné »? En est-on bien certain?

– Certain, répliqua Cadfael. Apparemment, il est parti à cheval après souper et est tombé dans un guet-apens en revenant. Nous l'avons retrouvé sur un sentier qui conduit ici. J'avais dans l'idée qu'il aurait pu venir ici, puisque cette maison est à lui.

– Il n'est pas venu ici, affirma le régisseur.

– Pas du tout, depuis trois jours qu'il est arrivé à Shrewsbury?

– Pas du tout.

– Ni aucun de ses écuyers ou de ses serviteurs?

– Aucun.

– Il n'a donc pas logé d'invités ici pour les noces. Vous êtes seul à garder cette propriété?

– Je m'occupe de la terre, du bétail et de la ferme, et ma mère de la maison. Les rares fois où il est venu chasser, il a amené ses valets, ses cuisiniers, etc. Mais la dernière fois, c'était,... il y a bien quatre ans.

A présent, il mentait comme il respirait. Car c'était là que poussaient les fleurs bleues en forme d'étoiles qu'on ne pouvait trouver nulle part ailleurs dans le comté. Mais pourquoi était-il si résolu à nier que Domville fût venu à cet endroit ? Un homme avisé pouvait, certes préférer ne pas se faire remarquer, lorsqu'il y avait une chasse à l'homme, mais ce jeune gaillard ne semblait pas être du genre à s'effrayer facilement. Et pourtant de toute évidence, il était décidé à ce que nul fil ne reliât cet endroit ou l'un de ses habitants à l'assassinat de son maître.

— Et ils n'ont pas encore mis la main sur le meurtrier ?

Il n'y avait pas à s'y tromper : il aurait été heureux de savoir le gibier capturé, les battues terminées, le criminel sous les verrous et l'enquête achevée.

— Pas encore. Ils sont nombreux à participer aux recherches. Bon, ajouta Cadfael, je ferais mieux de rentrer maintenant, bien qu'à vrai dire, je ne sois pas tellement pressé. C'est une journée magnifique et cette longue promenade est un vrai plaisir. Mais avant de repartir, pourrais-je boire un peu de bière et me reposer ?

Il s'était plus ou moins attendu à de la mauvaise volonté, sinon à une excuse astucieuse pour ne pas le laisser entrer ; mais le jeune homme, changeant presque visiblement d'avis, décida que la meilleure chose à faire était d'inviter franchement le moine de Shrewsbury. Pour quelle raison ? Pour qu'il vît par lui-même qu'il n'y avait rien ni personne de caché ? Quel que fût le motif, Cadfael accepta avec empressement et franchit la porte d'entrée à la suite de son hôte.

Le couloir était sombre et silencieux, l'odeur du bois forte et entêtante. Une petite vieille, aux gestes vifs, vêtue simplement mais avec soin, sortit d'une pièce du fond et s'arrêta net, surprise sinon franchement effrayée à la vue d'un étranger, jusqu'à cé que son fils, avec une emphase et une hâte quelque peu suspectes, présentât son invité.

– Venez, mon frère, autant nous installer confortablement! Nous n'avons guère l'occasion d'utiliser la salle de réception, car nous recevons rarement des hôtes de marque. Mère, pourrais-tu nous apporter une cruche? Le bon frère a une longue route à faire.

L'ameublement de la salle de réception, bien éclairée et lumineuse, semblait fort confortable. Attablés devant la bière et les galettes d'avoine qu'avait apportées la vieille femme, ils parlèrent du temps et de l'hiver qui approchait, et même de la situation désastreuse du pays, partagé entre le roi Étienne et l'impératrice Mathilde. Bien sûr, la paix régnait à présent dans le Shropshire, mais elle était fort précaire dans ce royaume divisé. On avait laissé l'impératrice rejoindre son demi-frère Robert de Gloucester à Bristol, et beaucoup gagnaient son camp : Brian FitzCount, châtelain de Wallingford, Miles, connétable de Gloucester et bien d'autres encore. Selon les rumeurs, les menaces d'une attaque, lancée par Gloucester, pesaient sur la ville de Worcester. Ils émirent tous les deux le souhait fervent que le tourbillon de la guerre ne se rapprochât pas davantage et épargnât même Worcester.

Tout au long de ce bavardage inoffensif, les sens de Frère Cadfael restaient en éveil. Le régisseur l'avait fait entrer pour qu'il constatât *de visu* que la maison était bien tenue et sans mystères, et qu'ils étaient les seuls à l'habiter, mais cette invitation pouvait s'avérer un mauvais calcul de sa part. En effet, ce n'était sûrement pas la petite vieille qui avait apporté dans cette pièce ce léger parfum indéfinissable. Et celle qui l'avait utilisé n'était pas partie depuis longtemps, car ce parfum se dissipait en quelques jours. Cadfael était sensible aux essences florales : il reconnut le jasmin.

Il n'y avait plus rien à découvrir à l'intérieur. Il se leva pour prendre congé et remercia son hôte; le régisseur le raccompagna avec déférence, afin de s'assurer, sans nul doute, qu'il reprenait bien la route de l'abbaye. Ce fut un pur hasard si la vieille femme, sortant de l'écurie juste au moment où eux-mêmes pénétraient dans la cour, laissa la porte grande ouverte derrière elle avant de s'apercevoir de leur présence. Son fils, d'un mouvement souple, s'élança prestement pour refermer et barrer la porte. Mais il n'avait pas été assez rapide.

Se gardant bien de montrer qu'il en avait vu plus qu'il n'aurait dû, Cadfael leur dit adieu d'une voix enjouée, sur le seuil, près du genêt qui avait des fleurs bleues et non jaune d'or. Puis, à grands pas, il reprit la route par laquelle il était venu.

Dans l'écurie se trouvait un cheval qui n'était manifestement pas fait pour supporter le poids de Huon de Domville ni pour résister à une journée de chasse, même monté par un homme de sa suite. Cadfael avait aperçu une petite tête fine et blanche, des yeux curieux qui regardaient audehors, un cou bien arqué et une crinière tressée, ainsi qu'un harnais léger et décoré, suspendu à l'intérieur de la porte à double battant. Le joli petit genet d'Espagne blanc était une monture de dame, et le harnachement finement ouvragé convenait parfaitement à une dame. Pourtant, le moine aurait parié qu'il n'y avait pas de dame à ce moment-là dans le rendez-vous de chasse. Personne n'avait été prévenu de son arrivée, on n'aurait pas eu le temps de la cacher. On lui avait permis d'entrer dans un but bien précis : celui de lui faire constater qu'elle n'était pas là et qu'il n'y avait personne à part les gardiens habituels.

Pourquoi alors, quel qu'eût été son désarroi à la pensée d'être pourchassée, tirée de sa retraite, associée de façon sordide à la mort de Domville, soupçonnée même de complicité peut-être, pourquoi avait-elle choisi de partir à pied et d'abandonner ainsi sa monture ? Et où, dans cette région perdue, une dame pouvait-elle bien se rendre à pied ?

Il ne revint pas directement à l'abbaye, mais continua le sentier jusqu'à la Première Enceinte et de là se dirigea vers la résidence de l'évêque. La cour, qui était très animée d'habitude, était bien tranquille cet après-midi, car les palefreniers et les serviteurs avaient été, dans la mesure du possible, recrutés comme rabatteurs et se trouvaient dans les bois. Seuls restaient les gens âgés, ce qui arrangeait Cadfael, car, même s'ils ne l'admettaient pas toujours, les vieux serviteurs étaient les mieux placés pour connaître la vie privée de leur maître, et seraient enclins aux confidences en l'absence des jeunes à l'oreille fine et toujours affairés.

Cadfael trouva le valet de Domville qui, apparemment, avait été à son service de nombreuses années et qui, en outre, avait assez de jugeote et de bon sens pour comprendre qu'il lui fallait parler sans fard, à présent que Domville avait disparu. Il n'y avait plus personne à redouter; une franchise totale le ferait bien voir du shérif. Il y aurait un interrègne inévitable et puis un nouveau maître. Aucun soupçon ne pesait sur les serviteurs qui n'avaient donc rien à craindre; pourquoi cacher quelque chose qui pourrait avoir son importance?

Les cheveux gris, l'air posé, le valet avait plus de soixante ans. Le regard sans illusions, il montrait la dignité résignée et un peu lointaine de beaucoup de vieux domestiques. Il s'appelait Arnulf et avait répondu sans hésitations aux questions du shérif, et il était prêt à répondre aussi franchement à celles que Cadfael ou toute autre personne voudrait lui poser. Il avait vu la fin d'une ère avec la mort de son maître, il lui faudrait adapter son service à une autre règle ou bien prendre une retraite paisible.

Néanmoins, Arnulf n'avait certainement pas prévu la première question que posa Cadfael.

— Votre maître avait la réputation de courir le jupon. Dites-moi, avait-il une maîtresse d'une telle importance, ou peut-être une nouvelle amie tellement séduisante, qu'il n'a pas pu s'en passer, même pendant les quelques jours où il s'apprêtait à épouser l'héritière des Massard? Quelqu'un qu'il aurait pu amener avec lui et installer à peu de distance?

Le vieil homme resta bouche bée, comme surpris que d'aussi francs propos pussent sortir de la bouche d'un Bénédictin, mais après avoir dévisagé Cadfael attentivement, il ne sembla plus trouver son discours si surprenant et son attitude se détendit. Ils avaient une expérience et un langage communs.

– Frère, je ne sais pas comment vous l'avez découvert, mais oui, cette femme existe. Il existe toutes sortes de femmes. Pour ma part, je n'en ai pas fréquenté beaucoup. J'avais assez d'ennuis sans conter fleurette à droite et à gauche. Mais lui, il ne pouvait pas s'en passer longtemps. Elles défilaient; par douzaines même. A part une, qui est différente. Elle ne s'en va pas. Aussi constante qu'une épouse. Comme une paire de chaussures ou un vieux manteau, facile et confortable : nul besoin de discours, ni d'efforts pour flatter ou plaire. J'ai toujours eu l'impression, réfléchit à haute voix Arnulf, passant ses doigts fins dans sa barbe, que là où il allait, elle n'était jamais bien loin. Mais je n'étais pas au courant de ses projets pour l'amener ici. Du reste, il n'a jamais eu recours à mes services pour ce genre d'affaires. Moi, je l'aidais à mettre ses chemises et ses chausses, lui retirais ses bottes après la chasse et dormais assez près pour lui chercher du vin la nuit, s'il en demandait. Mais je n'ai rien à voir avec ses femmes. Cela, c'était un autre genre de service. Et elle? Je n'ai jamais entendu parler d'elle ici. Je me suis posé des questions à ce sujet.

– Et d'un palefroi? demanda Cadfael, un palefroi tout blanc, y compris la crinière? Un joli petit genet d'Espagne, dirais-je, d'après ce que j'en ai vu. Avec une bride dorée accrochée à la porte de l'écurie.

– Je le connais, répondit Arnulf, surpris. Il l'a acheté pour elle. Je n'étais pas censé le savoir. Où l'avez-vous vu?

Cadfael le lui dit.

– Le cheval, mais pas la femme! Elle a laissé son parfum et son palefroi, mais elle, elle est partie.

– Eh bien! suggéra Arnulf avec bon sens, je suppose qu'elle veut éviter d'être mêlée à un assassinat. Il est certain que s'il a été retrouvé mort sur ce sentier, comme on le dit, et si elle se trouvait au rendez-vous de chasse, on pensera qu'il allait la rejoindre, après avoir congédié Simon et continué seul son chemin. Elle a très bien pu prendre peur et décider qu'elle ferait mieux de disparaître.

– Elle a également des serviteurs très loyaux là-bas, ajouta sèchement Cadfael, qui se sont efforcés de me convaincre, moi, comme ils essaient de convaincre le monde entier qu'elle ne s'est jamais trouvée là. Je suppose qu'à présent, le jeune régisseur a mis le genet d'Espagne en lieu sûr.

Il lui était venu à l'esprit (un peu à retardement), que le régisseur avait pu avoir de bonnes raisons d'agir ainsi, non seulement pour la dame, mais pour lui-même. Si elle avait été là pendant toute cette période, attendant une visite de son maître et protecteur, elle pouvait très bien avoir passé le temps fort agréablement avec un beau jeune homme, plus séduisant à tout prendre et qui, lui, avait l'avantage d'être là. Quant à lui, il pouvait fort justement redouter qu'une telle relation vînt à se savoir, auquel cas, on le soupçonnerait de s'être débarrassé de son maître pour cette femme, par jalousie et dépit. De là à se demander s'il n'avait pas effectivement agi ainsi, il n'y avait qu'un pas. Supposons que Domville soit arrivé cette nuit-là, après que la dame eut accordé ses faveurs au jeune homme, ce qui aurait amené celui-ci à la considérer comme sienne. Supposons que ce dernier ait été envoyé hors de la maison, pendant qu'ils étaient ensemble et n'ait rien eu à faire, en pleine nuit, qu'à ressasser ses griefs et son chagrin, jusqu'à ce qu'il pense que, s'il agissait loin du rendez-vous de chasse et assez près de Shrewsbury, il laisserait le champ libre pour que n'importe qui pût être soupçonné de meurtre. C'était possible! Cela pouvait s'être passé ainsi. Beaucoup de choses dépendaient de la femme. Cadfael aurait voulu en savoir plus sur elle.

– La question, à présent, est la suivante : puisqu'elle a laissé sa monture, où peut-elle bien être allée à partir de cet endroit isolé?

Il y avait également le fait qu'elle avait choisi de partir à pied, mais cela Cadfael ne le précisa pas; c'était un problème plus complexe.

– Le manoir où il la logeait habituellement, sa maison à elle, pourrait-on dire, est assez loin d'ici, dans le Cheshire (Arnulf réfléchit et fouilla visiblement dans sa mémoire pour se rappeler des détails négligés ou oubliés depuis longtemps), mais c'est dans cette région qu'il l'a trouvée. Une belle fille de la campagne, une toute jeune fille alors, il y a de cela plus de vingt ans, peut-être. Oui, plus de vingt ans. On la connaissait sous le nom d'Avice de Thornbury et on disait que son père était le charron du village. Des hommes libres, pas des vilains, je m'en souviens.

C'était le cas habituellement des artisans de village, mais ils étaient liés à leurs ateliers aussi solidement que les vilains à leur terre.

— Il y a des chances pour qu'elle ait encore de la famille là-bas, ajouta Arnulf. Est-ce que c'est loin? Je ne connais pas cette région.

— Non, dit Cadfael, heureux de ces éclaircissements, ce n'est pas loin. Je connais Thornbury. Elle a très bien pu s'y rendre à pied.

L'esprit occupé par de nombreuses pensées, il s'éloigna de la résidence de l'évêque. La dame disparue devenait de plus en plus intéressante. Puisque, depuis plus de vingt ans, elle était restée la maîtresse patiente de Domville, la maîtresse établie si solidement qu'elle en avait acquis la respectabilité et la soumission tranquille d'une épouse, elle devait avoir dépassé la quarantaine, et donc être bien plus âgée que ce jeune régisseur tout en ayant gardé, à l'évidence, assez de charme pour l'éblouir s'il lui en prenait la fantaisie. Oui, le jeune régisseur, en proie au désir et à la jalousie, avait pu vouloir se débarrasser de celui qui les séparait, de l'homme âgé et brutal, dont elle était la maîtresse. Mais la découverte de son âge probable avait d'autres implications. Si près de son déclin, cette femme avait peu de chances de recommencer une liaison aussi profitable, à présent que Domville était mort. Cette réflexion pouvait très bien l'avoir amenée à penser que sa famille n'était éloignée que d'un mille environ, et qu'avec leur aide, elle pouvait disparaître et se cacher aussi longtemps qu'elle le jugerait nécessaire.

Mais pourquoi, pourquoi laisser derrière elle un cheval de prix, sa monture à elle, le cadeau de son seigneur? Elle aurait très bien pu se rendre à Thornbury à cheval plutôt qu'à pied.

La journée tirait quasiment à sa fin; il devait

rentrer, se préparer pour les Vêpres et voir quelles catastrophes ou quelles prouesses Frère Oswin avait accomplie en son absence. Mais le lendemain, il trouverait Avice de Thornbury!

A Saint-Gilles, deux jeunes gens se tourmentaient. Frère Marc était depuis longtemps convaincu que le lépreux de haute taille qui ressemblait en tous points à Lazare, sinon par l'aspect de ses mains, était en fait l'écuyer fugitif, qu'avec tant d'acharnement féroce poursuivaient le shérif et un nombre si impressionnant de gens. Il était donc confronté à un dilemme moral assez complexe.

Il avait entendu l'histoire du prétendu vol du collier de la fiancée, mais il était aussi sceptique que Frère Cadfael. On avait causé la perte et la ruine de tant d'hommes, en toutes sortes de circonstances, par le simple fait de dissimuler des objets de valeur dans leurs bagages. C'était un moyen trop facile de se débarrasser d'un ennemi. Il n'y croyait pas. Et après avoir observé Huon de Domville, il n'aurait pas non plus livré un homme à sa vengeance, qui risquait fort d'être mortelle. Mais un assassinat, c'était autre chose. Il trouvait tout à fait vraisemblable qu'un jeune homme, traité avec autant de vilenie – si cette accusation se révélait fausse – en vînt à penser prendre sa revanche, même si ce n'était pas dans sa nature, et à adopter des solutions extrêmes. Où était la justice alors? Pourtant le guet-apens et le fait d'achever un homme assommé restaient en travers de la gorge de l'humble Marc, bien qu'il fût loin d'avoir une âme de chevalier. Nul ne pouvait justifier un tel acte. Marc était tourmenté à l'extrême et ne voyait pas comment se décharger de son fardeau. Lui seul savait ce qu'il savait.

Il pensa approcher directement l'intrus et lui demander de se confier à lui, mais une telle initiative exigeait un endroit discret, introuvable dans cette communauté repliée sur elle-même. Il ne ferait rien qui pût attirer l'attention sur le fugitif tant qu'il ne serait pas certain de sa culpabilité. Tout homme devait être présumé innocent tant qu'il n'y avait pas de preuves du contraire, surtout quand des accusations suspectes et pernicieuses avaient déjà été portées contre lui et sonnaient aussi creux que de la fausse monnaie.

« Si je me trouve seul à seul avec lui, sans être observé de quiconque », résolut Frère Marc, « je lui parlerai ouvertement et jugerai en connaissance de cause. Tant que je ne l'aurai pas fait, je le surveillerai de mon mieux, noterai ce qu'il fait, l'empêcherai de nuire le cas échéant, ou me tiendrai prêt à prendre sa défense, s'il ne fait rien de mal. Et que Dieu daigne se servir de moi pour que, d'une manière ou d'une autre, éclate la vérité ! »

L'objet de ses soucis se tenait à côté de Lazare, à un quart de mille en direction du passage du fleuve à Atcham. Ils étaient assis à quelque distance de la grand-route, mais sans être hors de vue. Une des sébiles au moins était authentique, mais ils n'appelaient pas les passants, se contentant d'agiter leur crécelle, lorsqu'une âme charitable faisait mine d'approcher de trop près. Bien enveloppés dans leurs capes, ils se tenaient en tailleur, dans l'herbe jaunie d'automne, sous les arbres. Les rôles avaient été vite appris.

— Tel que tu es vêtu, observa Lazare, tu pourrais franchir leur cordon et gagner ta liberté. Ils ne croiront pas qu'un homme soit assez brave ou assez fou pour revêtir les habits d'un lépreux et ils ne seront pas non plus assez braves ni assez fous pour se risquer à te déshabiller.

Pour lui, cela avait été une longue tirade et à la fin, il trébucha sur les mots comme si sa langue mutilée s'était fatiguée.

— Quoi! M'enfuir pour sauver ma tête et laisser Iveta captive? Je ne bougerai pas d'ici, lança Joscelin avec fougue, tant qu'elle sera la pupille d'un oncle qui pille ses biens et est prêt à la vendre à son seul profit à quelqu'un de pire que Huon de Domville, si le prix lui agrée. A quoi me servirait ma liberté, si c'est pour tourner le dos à Iveta quand elle est en danger?

— Je crois, articula laborieusement la langue de son voisin, qu'à la vérité, tu veux cette dame pour toi-même. Est-ce que je me trompe?

— Pas du tout! répondit passionnément Joscelin. Je veux cette dame pour moi-même comme je n'ai jamais voulu et ne voudrai jamais rien d'autre ici-bas. Je la voudrais tout pareillement si elle n'avait ni terres ni même souliers pour fouler ces terres, je la voudrais si elle était ce que je feins d'être et ce que vous, que Dieu vous guérisse! êtes vraiment. Mais, malgré cela, je serais heureux, et même reconnaissant, en la sachant en sécurité, protégée par un tuteur honorable, avec tous les biens qui lui reviennent et libre de son choix. Il est sûr que je ferai de mon mieux pour la conquérir! Mais j'accepterai sans me plaindre de me voir préférer un rival plus noble. Oh non! vous ne vous trompez pas. Je suis malade de désir!

– Mais que peux-tu faire pour elle, traqué comme tu l'es? As-tu un ami sur qui tu puisses compter?

– Oui, il y a Simon, répondit chaleureusement Joscelin. Il ne me croit pas coupable. Il m'avait trouvé une cachette; je regrette d'avoir quitté cet endroit sans l'en avertir. Si je lui transmettais un message maintenant, il pourrait parler avec elle et arranger un rendez-vous pour que nous puissions nous revoir comme la dernière fois. A présent que le vieux baron est mort, – mais comment cela s'est-il passé? – peut-être ne la surveille-t-on pas de trop près. Simon pourrait même m'amener mon cheval...

– Et où, demanda la voix patiente et détachée, emmènerais-tu cette dame sans amis, si tu l'arrachais à ses tuteurs?

– J'y ai pensé. Je la mènerais au couvent des Bénédictines de Brewood, et demanderais asile pour elle jusqu'à ce qu'on fasse une enquête sur ses affaires et que l'on prenne des mesures pour la protéger. Elles ne la livreront pas contre son gré. Cela irait jusqu'au roi, si nécessaire. Il a bon cœur, il veillerait à ce que justice fût rendue. Je préférerais de beaucoup l'emmener chez ma mère, s'écria Joscelin, mais les gens diraient que je convoite ses biens, et cela, je ne l'accepte pas. J'ai deux bons manoirs qui doivent me revenir, je ne convoite le bien de personne; je ne dois rien à personne et je ne veux pas que l'on me méprise. Si elle me choisit, moi, je remercierai Dieu et elle, et serai heureux. Mais ce qui m'importe le plus, c'est son bonheur à elle.

Lazare saisit sa crécelle et la fit cliqueter, car un cavalier corpulent et robuste quittait la route et se dirigeait vers eux. Néanmoins, de là où il était, il leur sourit et leur jeta une pièce. Lazare la ramassa et bénit le brave homme qui les salua de la main avant de continuer sa route.

— Toute bonté n'a pas disparu, dit Lazare, comme pour lui-même.

— En effet, grâce à Dieu, reprit Joscelin avec une humilité inhabituelle. J'en ai fait l'expérience. Je ne vous ai jamais demandé, poursuivit-il avec hésitation, si vous aviez eu femme et enfant. Cela serait grand dommage si vous aviez toujours vécu seul.

Il y eut un très long silence, bien que les silences de Lazare ne fussent ni rares ni gênants. Le vieillard dit enfin :

— J'ai eu une épouse, qui est morte depuis longtemps. J'ai eu un fils, que le Ciel a protégé en ceci que mon ombre n'est jamais tombée sur lui.

Joscelin sursauta d'indignation.

— Je ne vous considère pas comme une ombre. Ne parlez pas ainsi! Votre fils pourrait être fier de son père!

Le vieillard tourna la tête, fixant son compagnon d'un regard perçant et soutenu, au-dessus du voile.

— Il n'a jamais su, dit-il simplement. Il a des excuses; ce n'était qu'un bébé. Ce fut mon choix, pas le sien.

Malgré son jeune âge et ses manières abruptes et maladroites, Joscelin avait vite appris à savoir quand il fallait ne pas insister, ni poser des questions, et quand il n'y avait nul besoin de s'étonner. Lorsqu'il repensait à tout cela, il était sidéré de voir tout ce qu'il avait appris pendant ces deux jours passés parmi ces exclus de la société.

— Il y a une question que vous ne m'avez jamais posée, dit-il.

— Et je ne vais pas la poser maintenant, rétorqua Lazare. C'est une question que tu ne m'as pas posée non plus, et, puisqu'un homme ne peut y répondre que par « non », pourquoi la poser?

Dans la chapelle mortuaire de l'abbaye, après Vêpres, Huon de Domville fut mis en bière en présence du prieur Robert, du chanoine Eudes, de Godfrid Picard et des deux écuyers du défunt. Picard et les deux jeunes gens étaient rentrés d'une journée de recherches qui s'étaient avérées vaines; ils étaient fourbus et irritables, portaient encore leurs capes et leurs gants, et semblaient furieux de ne pas ramener de prisonnier pour les payer de leurs efforts. Mais peut-être seuls Picard et Eudes éprouvaient-ils une rage sincère.

La flamme des cierges dressés sur l'autel ainsi qu'à la tête et au pied du cercueil vacillait doucement dans le courant d'air glacé, et les personnes présentes jetaient leur ombre tremblante et gigantesque sur les murs. Le prieur Robert prit le goupillon de sa longue main blanche et aspergea délicatement le défunt de quelques gouttes d'eau bénite, que la lueur des cierges surprit dans leur chute et transforma en étincelles, naissant et mourant instantanément dans l'air. Le chanoine Eudes en fit autant; puis, se tournant vers le seul autre parent présent, il tendit le goupillon à Simon, qui se déganta précipitamment pour le prendre. Le visage sombre, il regarda la dépouille de son oncle tout en trempant le fin rameau dans l'eau bénite, et l'aspergea à son tour.

— Je ne pensais pas devoir agir ainsi avant plu-

sieurs années, dit-il en se retournant et en tendant
le goupillon à Picard, avant de reprendre sa place
dans l'ombre.

Quelques gouttes s'échappèrent des tiges fines
sur sa main lorsqu'il le passa; Picard les regarda
et vit le jeune homme les faire tomber d'un geste
brusque, comme surpris à leur contact glacial. Il
y avait quelque chose de fascinant dans la façon
dont la lueur des cierges rehaussait chaque détail
de ces mains qui bénissaient et que les manches
noires arrêtaient au poignet. Seules taches pâles
dans l'obscurité ambiante, toutes ces mains tran-
chées bougeaient et agissaient, comme mues par
une vie propre. Des doigts pâles et élégants du
prieur Robert au poignet brun et lisse de Guy, le
dernier à bénir le corps, ces mains accomplis-
saient leur danse rituelle et attiraient les regards.
Ce ne fut qu'une fois l'hommage rendu que tous
levèrent les yeux et trouvèrent quelque réconfort
dans la pâleur moins inhumaine des visages haras-
sés et solennels. On sentit chacun aspirer profondément comme un nageur remontant à la surface.

C'était fini. Les cinq hommes se séparèrent : le
prieur Robert s'en alla tenir une courte veillée de
prières pour le défunt, le chanoine Eudes se dirigea vers le logis abbatial, et les deux jeunes gens
ramenèrent leurs chevaux fourbus à la résidence
de l'évêque pour les soigner, les nourrir et les
faire rentrer à l'écurie avant de s'occuper de leur
propre repas et repos. Quant à Picard, il se retira
à l'hôtellerie après avoir brièvement souhaité le
bonsoir à tous; là il entraîna Agnès dans leurs
appartements privés et ferma la porte à tout le
reste de la maisonnée, même aux gens de
confiance. Il avait quelque chose d'important à

180

lui révéler qui ne devait être entendu de personne d'autre.

Le petit Bran avait réclamé et emporté les chutes de parchemin usé tirées de la feuille sur laquelle il s'exerçait à tracer ses lettres. Il en avait été complimenté par son professeur, mais son but n'était pas celui qu'imaginait Marc. Dans le dortoir, où il aurait dû être endormi depuis longtemps, il se faufila auprès de Joscelin avec ses trophées et lui chuchota son secret à l'oreille.

— Tu voulais envoyer un message, qu'il m'a dit, Lazare. C'est vrai que tu sais lire et écrire?

Il avait une admiration sans bornes pour tout détenteur de ces mystères. Il se blottit contre Joscelin, et leurs paroles ne furent plus que des chuchotements imperceptibles.

— Demain matin, tu pourrais utiliser la poire à encre de Frère Marc, personne ne surveillera son bureau. Si tu écris le message, je le porterai là où tu me diras. On ne me remarque pas. Mais la meilleure partie de la feuille n'est pas très grande, il faudra que le message soit court.

Joscelin entoura le petit corps malingre des plis de sa cape pour le protéger du froid de la nuit et l'attira contre lui.

— Tu es un allié courageux et sûr; je ferai de toi mon écuyer si je parviens à être chevalier. Tu apprendras le latin, le calcul et des choses qui me dépassent moi-même. Oui, je vais me débrouiller pour écrire sur ton parchemin. Où est-il?

Brian le lui fourra prestement dans les mains et il se rendit compte qu'il était suffisamment long, sinon très large.

— Il fera l'affaire. Vingt mots peuvent en dire

long. Dieu te bénisse! Tu es le gamin le plus malin que j'aie jamais rencontré!

La tête de l'enfant, dont le baume de pariétaire de Frère Marc avait fait disparaître les dernières plaies dues à la malnutrition et à la saleté, s'enfouit confortablement dans le creux de l'épaule de Joscelin, qui se sentit envahi par un sentiment amusé et indulgent d'affection.

— Je peux aller jusqu'au pont, se vanta Bran d'une voix ensommeillée, si je prends les petites rues. Si j'avais un capuchon, je pourrais même pénétrer en ville. J'irai où tu voudras...

— Est-ce que ta mère ne va pas se demander où tu es? murmura Joscelin à l'oreille de l'enfant.

Il savait que la femme en question avait perdu tout intérêt pour ce bas monde et n'attendait que le moment de le quitter. Même son fils, elle le remettait avec soulagement sous la protection de saint Gilles, patron des malades et des exclus.

— Non, elle dort.

Comme dormait presque son enfant affairé et heureux, à qui la découverte émerveillée de l'étude et les petites intrigues de l'amitié ouvraient le monde, qui, au contraire, se refermait sur sa mère.

— Viens, approche-toi et dors aussi. Niche-toi sous ma cape pour que je te tienne chaud.

Il se retourna pour que le petit visage attentif trouvât un appui sur son épaule, et fut surpris par le plaisir que lui procura cette confiance ravie. Bien après que l'enfant se fut endormi, Joscelin resta éveillé, s'étonnant de consacrer tant d'énergie et d'intérêt à d'autres, alors que sa vie était en jeu, et tant de pensées à sauver cette petite âme abandonnée du péril où lui-même avait été

182

entraîné par sa folie ou sa destinée. Certes, il écrirait son message et essaierait de le faire parvenir à Simon, mais sans exposer l'innocent qui dormait calmement sur son épaule.

Joscelin s'assoupit, lui aussi, mais continua, dans son sommeil, à protéger l'enfant durant toute la nuit. Plus loin, à l'écart, ayant depuis longtemps renoncé au sommeil, Lazare veillait.

CHAPITRE 8

Joscelin se leva avant l'aube, prenant soin de ne pas réveiller son compagnon, qui dormait au chaud, bien confortablement, bras et jambes écartés comme disloqués dans l'abandon du sommeil. Joscelin laissa sa volumineuse cape de lépreux autour du petit, car l'air du matin était frisquet ; en outre, il n'osait pas s'approcher de la ville sous ce camouflage, bien que, sans lui, le risque encouru fût certainement aussi grand. Il lui faudrait compter sur son habileté à ne pas se faire voir ; et il était quelque peu rasséréné à la pensée qu'on allait sans doute, du moins l'espérait-il, poursuivre ailleurs des recherches qui devaient avoir convaincu chacun que ce n'était pas du côté nord de la Première Enceinte que l'on capturerait le fugitif.

Il traversa fugitivement la grand-salle et prit, sur le bureau, la plume et la poire à encre de Frère Marc. Il ne pouvait pas faire de lumière, ni ne voulait attendre celle de l'aube ; mais dans l'église, la veilleuse de l'autel, si faible fût-elle, suffirait à sa vue de jeune homme et au petit nombre de mots. Il avait déjà décidé de ce qu'il écrirait et il traça les phrases lisiblement, sinon très proprement sur le morceau de parchemin. La plume aurait eu besoin d'être taillée et avait tendance à cracher, mais il n'avait pas de couteau pour y remédier. Il était réduit à la condition de ceux qui étaient à présent ses compagnons, à ceci près que sa peau et ses membres n'étaient pas atteints par la maladie; il ne disposait d'aucun objet personnel et ne possédait que ce qu'il avait sur lui et rien d'autre.

Simon, si tu es mon ami, fais ceci pour moi : cache Briard de l'autre côté du ruisseau, en face de l'abbaye, et emmène Iveta dans le jardin aux simples après Vêpres.

Cela suffisait, mais il fallait trouver un moyen de faire parvenir le message en mains propres. S'il ne le pouvait pas, il devait le garder, puisqu'il avait inscrit le nom de Simon. Il regrettait à présent l'impulsion naturelle qui l'avait poussé à adresser la missive; si elle tombait dans d'autres mains? Il n'était pas question d'entraîner son ami dans le pétrin! Mais il n'y avait aucun moyen d'effacer le nom compromettant. Le message devait soit partir tel quel, soit rester en sa possession, ce qui détruisait le seul plan qu'il avait. Cela l'obligeait à montrer encore plus de circonspection et d'audace dans sa tentative de joindre l'homme qu'il lui fallait.

Quand il sortit, le silence et l'étrange clarté d'avant l'aurore étaient les mêmes que lorsqu'il avait fui de sa cachette dans la propriété de l'évêque. Il longea prudemment l'arrière de la maladrerie et se dirigea vers la ville, se tenant à l'écart de la route, là où les arbres et les buissons lui permettaient de rester à couvert. Dès qu'il arriva aux cours des maisons et à leurs jardins, il fut forcé de s'éloigner encore plus de la grandroute, mais il avait le temps : il pouvait prendre toutes les précautions nécessaires. Nul ne bougerait à la résidence de l'évêque avant la première lueur de l'aube, personne ne quitterait la cour avant le grand jour et les invités de marque auraient d'abord rompu le jeûne de la nuit. Il atteignit l'allée étroite et bordée d'arbres qui donnait sur la Première Enceinte à côté du mur de la résidence, et s'arrêta pour examiner l'endroit. Il ne pourrait voir par-dessus le mur qu'en grimpant à un arbre et dans ce cas, il convenait d'en trouver un qui lui permît d'observer l'intérieur et l'extérieur de la cour, de reconnaître des visages connus et de surveiller les allées et venues près des écuries.

Il choisit l'endroit avec soin : il s'allongea sur la branche maîtresse d'un chêne qui avait encore assez de feuilles pour le dissimuler, mais qui lui permettait de voir des deux côtés, et, le cas échéant, de sauter à terre rapidement et facilement. Puis il n'y eut plus qu'à attendre, car l'aube n'était encore qu'une pâle lueur à l'est. Il se passerait de petit déjeuner et nul n'aurait aujourd'hui à dérober de la nourriture pour lui! Le jour se leva enfin, lentement mais sûrement. Les contours de la maison, du mur d'enceinte, des écuries, des étables et des granges se détachèrent de la pénombre et revêtirent couleur et vie. Les serviteurs, les boulangers, les vachères et les palefreniers, l'air ensommeillé, vaquèrent à leurs tâches au ralenti d'abord, puis plus énergiquement. Les garçons de cuisine transportèrent des plateaux chargés de miches de pain sortant juste du four. La matinée s'avança et les invités de marque commencèrent à faire leur apparition, le chanoine Eudes en premier, s'en allant à la deuxième messe, puis, un peu plus tard, Simon et Guy ensemble, dénués de leur gaieté habituelle et plongés dans de sombres conciliabules. Les palefreniers semblaient sortir la plupart des chevaux des écuries : apparemment, les recherches de cette journée étaient déjà entamées et les hommes commençaient à se rassembler.

Ils se mirent en route, avec Guy au milieu d'eux, résigné et morose; le portail franchi, ils prirent la Première Enceinte en direction de la ville. Mais Simon ne les accompagna pas. Debout sur les marches qui menaient à la grand-salle, il les suivait du regard et attendait visiblement quelque chose. Joscelin ne pouvait apercevoir l'écurie personnelle de l'évêque, située à un coin de la maison, mais il tendit soudain l'oreille et entendit un martèlement de sabots impatients et vifs qui approchait de la cour. L'instant d'après, il vit son Briard, gris argenté taché de gris sombre, bondir avec indignation dans l'air du matin, remorquant un palefrenier couvert de sueur et volubile. Descendant l'escalier, Simon alla à leur rencontre, flatta l'encolure et l'épaule grises et luisantes et tint un moment la tête argentée entre ses paumes, en une caresse admirative. Joscelin en eut chaud au cœur. Au milieu de tous ces tracas, Simon avait néanmoins pensé à la bête pleine de vitalité, enfermée dans une stalle et l'avait sortie pour lui donner de l'exercice. Ce qu'il dit au palefrenier en rentrant dans la maison ne parvint pas aux oreilles de Joscelin, mais ses gestes mon-

trant le cheval et le portail signifiaient clairement : « Selle-le et amène-le dehors! »

S'étant assuré que c'était bien là ce que faisait
le palefrenier, Joscelin sauta de l'arbre et
s'avança prudemment, dissimulé derrière les buissons, jusqu'à ce qu'il fût en vue du portail. Ils
s'approchèrent, Briard, vif et malicieux, impatient de courir, et franchirent le portail. Le palefrenier, alors, l'attacha machinalement à l'un des
anneaux du mur à côté de la borne et le laissa là,
en attendant le retour de son maître. Cela
n'aurait pu mieux tomber. Aussitôt que l'homme
fut retourné dans la cour, foulant les pavés en
direction de l'écurie, Joscelin s'élança de derrière
les buissons et longea rapidement le mur pour
aller caresser et calmer un Briard surpris et ravi.
Ce n'était pas le moment de badiner. Tout
d'abord, Joscelin maudit le hasard qui voulut que
deux cavaliers surgissent dans la Première
Enceinte en faisant tinter leurs harnais, l'obli-
geant à tourner le dos à la route et à tenir la bride
sans broncher, jusqu'à ce qu'ils fussent passés,
comme s'il avait été un palefrenier attendant son
maître. Mais ce délai forcé donna le temps à
Briard de se calmer et de se rassurer, tout
content, pendant que Joscelin s'empressait d'atta-
cher soigneusement son morceau de parchemin
dans une mèche argentée de la crinière.

Les cavaliers étaient passés; la Première
Enceinte était déserte pour le moment et il n'y
avait personne sur l'allée bordée d'arbres. Joscelin s'arracha à son affectueux destrier, s'efforçant
de ne pas entendre les hennissements de protestation qui le poursuivaient; puis, sans s'arrêter et en
restant à couvert, il courut comme un lièvre
jusqu'à ce qu'il fût presque arrivé à Saint-Gilles.

C'était fait; il n'avait pas osé s'arrêter pour voir si son geste avait produit un résultat immédiat, car à présent, le grand jour régnait et les rues se peuplaient; il valait mieux qu'il se dissimulât aussi vite que possible sous son habit de lépreux, protection bien plus puissante que n'importe quelle arme, puisque nul n'osait l'approcher de trop près, de peur de la contagion. Il ne pouvait que prier pour que Simon trouvât le message – il ne lui faudrait certainement pas longtemps avant de remarquer la crinière nouée –, et agît en ami fidèle. Il y avait au moins une possibilité de retraite, pensa Joscelin : si, à l'heure fixée, il arrivait aux taillis, en face des champs de l'abbaye, et n'y découvrait pas Briard dissimulé, il pourrait toujours repartir en supposant soit que sa requête s'était perdue, soit qu'elle n'avait jamais été trouvée. Repartir et essayer autre chose, ne jamais abandonner, jamais tant qu'Iveta ne serait pas en de meilleures mains et traitée comme il se devait. En attendant, sans relâche ce jour-là, il fallait à Saint-Gilles adopter jusqu'au soir une conduite irréprochable et docile, en ne prenant pas de risques et n'attirant pas l'attention.

Avant d'entrer à la maladrerie, il s'arrêta au boqueteau près de l'enceinte, conscient tout d'un coup de sa vulnérabilité en pleine lumière et sans sa cape. Mais une petite silhouette déchaînée surgit soudain des buissons. Elle serrait sous un bras un vêtement sombre, traînant à moitié par terre, et lui entoura violemment la jambe de son autre bras, en lui lançant d'amers reproches chuchotés et haletants :

– Tu ne m'as pas réveillé! Tu es parti sans moi. Pourquoi?

Surpris et touché, Joscelin s'accroupit et serra l'enfant sur son cœur.

— Je ne dormais pas, mais toi, si, et si profondément que je n'ai pas osé te réveiller. A présent, c'est fini, et je suis revenu. Alors pardonne-moi ! Je sais que tu aurais fait aussi bien, sinon mieux ; ne crois pas que je n'aie pas eu confiance en toi !

Le visage sévère, Bran lui lança l'habit.

— Mets-le ! Et voici le voile... Comment serais-tu rentré à la maladrerie sans cela ?

Il avait apporté du pain, également, pour remplacer le petit déjeuner. Joscelin le rompit en deux et lui donna la plus grosse part, ses propres soucis balayés par une tendresse irrésistible qui l'emplissait d'une folle envie de rire.

— Que deviendrais-je sans toi, mon écuyer ? Tu vois que je suis à peine capable de me débrouiller sans mon ange gardien. Je te promets que je vais te laisser me mener par le bout du nez toute la journée... sauf pendant ta leçon avec Frère Marc, bien sûr. Nous ferons ce que tu voudras. C'est toi qui commanderas !

Il s'enveloppa docilement dans ses vêtements d'emprunt, et ils dévorèrent le pain ensemble, silencieux et heureux ; puis il remit le voile sur son visage. Main dans la main, ils sortirent solennellement du couvert des arbres et se dirigèrent d'un pas calme vers l'enceinte de Saint-Gilles.

Simon avait presque atteint la porterie de l'abbaye, emporté par le trot d'un Briard débordant de vitalité, lorsqu'il remarqua la crinière nouée ; il tendit la main pour en découvrir la cause, mécontent d'un si piètre toilettage, et sentit sous ses doigts la boule que faisait le morceau de parchemin. Mettant sa monture au pas, ce qui ne fut pas du goût de cette dernière, il dégagea l'objet et le déroula avec curiosité.

Malgré le peu de pratique de Joscelin, aggravé par le manque de lumière et les ratés d'une plume taillée pour un autre, le texte était bien lisible. Simon referma rapidement le poing sur le parchemin, comme si on le surveillait étroitement; puis il regarda derrière et autour de lui, cherchant (un peu tard) une indication sur la façon dont ce message inattendu s'était retrouvé là, et sur l'endroit où pouvait se trouver son correspondant caché. Il n'était plus temps! Il pouvait être n'importe où. Il n'y avait aucun moyen de mettre la main dessus ou de lui transmettre un message, sauf en faisant ce qu'il demandait et en organisant une rencontre où il ne manquerait pas de venir.

Simon rangea soigneusement le parchemin dans son escarcelle, et continua sa route, plongé dans ses pensées. Après la porterie, près du pont sur la Severn qui menait à la ville, les hommes du shérif commençaient à se rassembler. Dans la grand-cour de l'abbaye, on vaquait aux occupations habituelles. Les frères lais se dirigeaient d'un bon pas vers les jardins de la Gaye ou allaient s'occuper des granges et du bétail. Frère Edmond s'activait entre l'herbarium et son infirmerie et Frère Oswald, l'aumônier, faisait la charité aux quelques mendiants qui attendaient au portail. Simon entra discrètement et confia Briard à un palefrenier. A l'hôtellerie, il demanda à être reçu par Godfrid Picard, ce qui lui fut promptement accordé.

Dans sa chambre, en compagnie de Madeleine,

Iveta brodait sans enthousiasme un motif de tapisserie destiné à un coussin. Bien sûr, elle pouvait, à présent, aller se promener comme elle le désirait, mais pas au-delà de la porterie. Elle avait essayé une fois, morte de frayeur, et un des hommes de son oncle lui avait barré la route, d'une façon polie, mais avec un petit sourire ironique qui l'avait fait rougir de confusion. Et à quoi bon se promener dans cette enceinte, ce qui aurait été agréable en d'autres circonstances, alors que Joscelin se trouvait Dieu sait où et qu'elle n'avait aucun moyen de l'atteindre? Mieux valait rester là et se tenir tranquille, en guettant le vent de la liberté qui lui apporterait de ses nouvelles. Le moine qui avait, une fois, écarté d'elle la foudre, et l'avait, une autre fois, ramenée gentiment à ce sinistre bas monde, était à compter parmi ses amis, même si elle ne lui avait pas parlé récemment. Et puis, il y avait Simon. Il était loyal et ne croyait pas aux accusations portées contre Joscelin. Si l'occasion s'en présentait, on pouvait compter sur son aide.

Iveta continua à coudre en gardant le silence, et ce d'autant plus que de la pièce voisine lui parvint soudain la rumeur assourdie d'éclats de voix. Mais les murs intérieurs étaient épais et étouffaient les sons; elle ne pensait pas que Madeleine eût remarqué quoi que ce fût qui éveillât son intérêt. Iveta se garda donc soigneusement de montrer le sien. Mais il n'y avait pas d'erreur. Son oncle se querellait avec quelqu'un. Elle le perçut dans la véhémence hargneuse du ton plutôt que dans l'ampleur; en fait, la voix était intentionnellement basse et les paroles incompréhensibles. L'autre voix était plus jeune, moins prudente, plus furieusement sur la défensive, certainement étonnée et atterrée, comme si elle ne s'attendait pas à la querelle. On ne distinguait aucune parole encore, seulement le rythme significatif de deux voix s'affrontant en un conflit sans merci. Soudain elle crut avoir saisi chez le plus vieux des intonations évoquant un nom qui la remplit de désespoir. Qu'avait-il pu se passer entre son oncle et Simon ? Car c'était, à n'en pas douter, la voix de Simon. Son oncle deviendrait-il soupçonneux à l'égard de tous les jeunes gens qui approchaient d'elle ? Elle ne savait que trop qu'il avait des trésors à garder : elle-même, le grand domaine qu'elle traînait comme un boulet au pied, l'usage qu'on pourrait faire de sa personne, le profit qu'on pourrait en tirer. Pourtant, un jour ou deux auparavant, Simon avait été bien accueilli, traité avec tous les égards et reçu avec force sourires par sa tante Agnès.

Ne prêtant aucune attention à ce lointain brouhaha, Madeleine continuait impassiblement à se coudre une coiffe de lin. Plus âgée, elle avait l'ouïe moins fine et n'entendait qu'une rumeur de conversation.

Et même ce bruit avait cessé. Une porte se referma. Iveta crut percevoir à nouveau un chuchotement insistant à la porte voisine. Puis on frappa un coup fort et assuré à sa chambre, elle s'ouvrit sur Simon qui entra comme chez lui. Iveta fut désorientée et ne put que le regarder bouche bée. Mais il était très à son aise.

— Je vous salue, Iveta ! dit-il avec naturel, et s'adressant à la suivante : Veuillez nous laisser seuls quelques instants, Dame Madeleine !

Madeleine se souvenait des sourires et des

petits saluts d'Agnès : à ses yeux, Simon avait droit à des égards particuliers. Elle prit son ouvrage et le salua obligeamment, aussi bienveillante que la dernière fois, avant de quitter la pièce.

La porte s'était à peine refermée que Simon était à genoux aux côtés d'Iveta, et se penchait tout près d'elle. Malgré le calme qu'il s'efforçait de garder, il avait le sang aux joues et respirait fort, les narines palpitantes.

— Écoutez, Iveta, car ils ne me laisseront pas vous approcher de nouveau... Si elle leur dit que je suis ici, ils me chasseront... J'ai un mot pour vous de la part de Joscelin !

Elle s'apprêtait à le questionner, affolée et anxieuse, mais d'un doigt sur les lèvres, il lui intima le silence et continua à voix basse et véhémente :

— Ce soir, après les Vêpres, il vous prie de venir au jardin aux simples. Je dois lui amener son cheval de l'autre côté du ruisseau. N'y manquez pas ! Moi, j'y serai. Avez-vous bien compris ?

Elle acquiesça d'un signe de tête, rendue presque muette par la surprise et la joie, mêlées de peur.

— Oui. Oh, Simon ! Je ferais n'importe quoi ! Que Dieu bénisse votre loyauté ! Mais vous... Qu'est-il arrivé ? Pourquoi, pourquoi se retourner contre vous ?

— Parce que j'ai défendu Joss. J'ai dit qu'il n'était ni un assassin, ni un voleur et qu'à la fin, justice lui serait rendue, et qu'ils devraient retirer tout ce qu'ils auraient dit contre lui. Ils ne veulent plus rien avoir à faire avec moi, je suis chassé. Mais voici son message... regardez !

194

Elle reconnut l'écriture et lut en tremblant. Elle caressa le parchemin comme s'il avait été une sainte relique, mais referma sur lui, à contre-cœur, la main de Simon.

— Ils pourraient le trouver... gardez-le! Je ferai ce qu'il m'a demandé. Soyez remercié mille fois pour votre bonté! Mais oh, Simon! je suis navrée que par notre faute, vous ayez également des ennuis...

— Des ennuis, quels ennuis? chuchota-t-il âprement. Je ne les crains pas si votre bonne volonté m'est acquise.

— Pour toujours, et plus que ma bonne volonté. Vous avez été si généreux pour moi. Qu'aurais-je fait sans vous? Si nous parvenons à fuir, si nous le pouvons, nous vous retrouverons. Vous serez toujours notre ami le plus cher.

Elle étreignait les doigts qui l'avaient empêchée de parler, essayant d'exprimer par son contact la gratitude qu'elle ne pouvait formuler, mais il eut une mimique d'avertissement et retira vivement sa main, avant de se lever et de se tenir à quelque distance en un mouvement souple, car il y avait eu un bruit de pas à la porte dont quelqu'un avait touché la poignée.

— Le jardin aux simples! chuchota-t-il.

Elle lui répondit par un regard rapide, à la fois résolu et terrifié.

— Je suis heureux de vous voir aussi bien rétablie! déclara-t-il cérémonieusement au moment où la porte s'ouvrait. Je ne pouvais pas prendre congé sans venir vous assurer de mon dévouement.

Picard entra dans la pièce d'un pas décidé; son visage étroit et subtil montrait une froideur glaciale, sa voix était plus glaciale encore, bien que parfaitement polie.

— Encore ici, messire Aguilon? Notre nièce garde la chambre et ne devrait pas être dérangée. Je pensais que vous étiez pressé de rentrer chez vous et de vous préparer. Vous êtes tenu de vous joindre aux forces du shérif aujourd'hui. J'espère que vous n'avez pas l'intention de vous dérober.

— Je ferai ce qu'on me demande, rétorqua Simon, mais pas en empruntant le cheval de mon ami. N'ayez crainte, messire, je rejoindrai en temps voulu les troupes du shérif, comme j'en ai reçu l'ordre.

Agnès avait surgi derrière l'épaule de son époux, les lèvres serrées, ses petits yeux brillant de méfiance. Simon adressa un profond salut à Iveta, un autre plus raide et de pure convenance à Agnès et sortit de la pièce à grands pas. Deux têtes se retournèrent pour le regarder partir en un silence menaçant, puis lorsqu'il eut disparu, se retournèrent avec la même froideur hostile pour observer Iveta. Elle courba doucement le front sur sa broderie pour dissimuler la joie rebelle qu'elle ne pouvait complètement effacer de son visage et ne dit mot. Le lourd silence dura longtemps, mais ils sortirent enfin, refermant la porte. Ils n'avaient pas posé de questions. Elle les crut satisfaits. Leur avait-elle jamais tenu tête pour se défendre? Ils ne savaient pas, ils ne pouvaient pas comprendre quels prodiges elle se sentait capable d'accomplir pour Joscelin.

Frère Cadfael s'était mis en route immédiatement après le petit déjeuner, montant une mule de l'écurie de l'abbaye. Au moment où Iveta recevait le message de Joscelin, il avait déjà dépassé Beistan et atteignait la région boisée située près du rendez-vous de chasse. Pour parvenir au hameau de Thornbury, il n'était pas nécessaire de continuer le sentier menant à la propriété; il se dirigea donc un peu sur la droite, vers l'ouest et vers la lisière de la Forêt Longue. Entre le rendez-vous de chasse et le village, il n'y avait guère qu'un mille de distance, et pourtant, il n'arrivait pas à comprendre pourquoi une femme avait abandonné un bon cheval et choisi de s'y rendre à pied.

Les arbres s'espacèrent aux approches du hameau et dégagèrent un paysage accueillant de prairies vertes et de terres labourées, denses et bien entretenues. Éparpillés dans les bois avoisinants, se trouvaient des essarts arrachés à la forêt par des cadets entreprenants. Et, au milieu, se regroupaient des cabanes de grosses poutres, basses de plafond, d'où s'échappaient les volutes de fumée bleue et l'odeur des feux de bois. Un minuscule village, pauvre et éloigné de tout, un endroit pour des gens durs à la peine, mais qui, pourtant, avait en abondance de quoi se chauffer et de quoi braconner, ce qui, pensa Cadfael, pouvait très bien être là l'affaire de la communauté. Toutes sortes de bois en abondance, également, pour le charronnage : l'orme, essentiel pour le moyeu, le chêne dont le cœur fendu, au grain lisse, servait pour les rayons, et le frêne souple et flexible pour les jantes arrondies de la roue, toutes les essences se trouvaient à portée de main.

Cadfael arrêta sa mule à la première chaumière, où une femme donnait à manger aux poules dans la cour, et demanda où habitait le charron.

– Vous voulez Ulger? dit-elle, appuyant un bras potelé sur sa barrière et le regardant avec une curiosité amicale. Sa ferme est tout au bout, derrière la mare; vous la reconnaîtrez aux piles de bois entassées à droite. On lui a amené un chariot qui avait besoin d'une nouvelle roue; il doit être en train d'y travailler.

Cadfael la remercia et reprit sa route. Derrière la mare où cancanaient et plongeaient des canards, il remarqua le bois mis à sécher. Un moment après, il arriva à la ferme, bien pourvue en outils et en matériaux, avec une pièce et un grenier. Dans la cour, devant la maison, se trouvait un chariot avec une roue en moins. Les parties brisées gisaient sur le sol, plusieurs rayons étaient cassés, le cercle de fer serait récupéré pour un réemploi éventuel. Un nouveau moyeu en orme, possédant déjà des rayons, reposait dans l'herbe, évoquant une étoile. Le charron, un homme trapu d'environ quarante-cinq ans, barbu et musclé, s'échinait, l'herminette à la main, sur une longueur de frêne bien arrondie, destinée à la jante, tout en veillant à respecter le grain du bois.

– Dieu bénisse ce travail! dit Cadfael, en arrêtant sa mule et mettant pied à terre. Je pense que vous devez être Ulger, l'homme que je cherche. Mais je m'attendais à trouver quelqu'un de plus âgé.

A l'aise dans son propre royaume, le charron se redressa, laissant son herminette, et dévisagea son visiteur avec une curiosité toute bienveillante. Le visage rond, d'un naturel manifestement aimable, il gardait cependant une certaine réserve empreinte de dignité.

– Mon père aussi s'appelait Ulger et était également charron pour ce hameau et les environs. Il se peut que ce soit à lui que vous pensiez. Il est mort, il y a quelques années, qu'il repose en paix! J'ai repris le métier et la maison.

Après un examen rapide et perspicace il ajouta :

— Vous devez être un Bénédictin de Shrewsbury. Nous sommes plus ou moins au courant de ce qui s'est passé.

— Nous avons des ennuis, comme vous le savez, dit Cadfael.

Il glissa la bride de sa mule autour d'un poteau de la barrière, avant de secouer son habit et de s'étirer, un peu courbatu.

— Je vais vous parler franchement. Huon de Domville a été assassiné le matin de ses noces et à son rendez-vous de chasse, pas très loin d'ici; il gardait une maîtresse. Il venait de la quitter lorsqu'il trouva la mort. Et elle n'est plus au rendez-vous de chasse. On l'appelait Avice de Thornbury, fille de cet Ulger qui doit être aussi votre père. C'est par ici qu'il l'a rencontrée et prise comme maîtresse. Je ne pense pas vous apprendre quelque chose que vous ne sachiez déjà.

Il attendit; il y eut un silence. L'expression du visage naturellement affable se durcit et se figea soudain. Le charron lui fit face et ne dit mot.

— Je n'ai ni l'intention, ni l'obligation, dit Cadfael, de mettre votre sœur en danger ou de la menacer. Cependant, il se peut qu'elle sache ce que la justice doit savoir, non seulement pour châtier le coupable, mais pour libérer l'innocent. Tout ce que je veux, c'est lui parler. Elle a laissé son cheval et plusieurs autres choses qui lui appartiennent, je crois. Elle est partie à pied. Je pense qu'elle est venue ici, dans sa famille.

— Il y a longtemps, déclara Ulger après un long silence, que je n'ai plus de sœur, longtemps que moi et les miens ne sommes plus de la famille d'Avice de Thornbury.

— Je comprends, dit Cadfael. Cependant, il y a les liens du sang. Est-elle venue chez vous?

Ulger lui lança un regard sombre et se décida :

— Oui.

— Il y a deux jours? Après que la nouvelle de la mort de Huon de Domville fut parvenue de Shrewsbury?

— Il y a deux jours en effet, elle est arrivée tard dans l'après-midi. Non, nous ne connaissions pas la nouvelle alors. Mais elle, elle la savait.

— Si elle est encore là, reprit Cadfael, je dois lui parler.

Il regarda la maison, et vit une belle femme robuste en sortir et y rentrer. Dans un coin de la cour, un garçon de quatorze ans environ affinait des rayons de chêne pour une roue plus légère.

C'étaient l'épouse et le fils d'Ulger. Il n'aperçut aucun indice révélant la présence d'une autre femme.

— Elle n'est pas ici, dit Ulger. Elle ne serait pas la bienvenue chez moi. Nous ne l'avons revue qu'une ou deux fois, depuis qu'elle a choisi de devenir la ribaude d'un baron normand, une honte pour sa famille et son peuple. Je lui ai dit, lorsqu'elle est venue, que je ferais pour elle tout ce qu'un homme doit faire pour sa sœur, sauf la laisser entrer dans la maison qu'elle a abandonnée il y a longtemps pour de l'argent et pour une vie facile et oisive. Elle n'avait pas changé; elle n'avait pas l'air abattu, non plus. Vous vous ferez une opinion; moi, je ne sais pas trop quoi en penser. Elle m'a dit bien calmement et poliment qu'elle ne me demandait à moi et à ma famille que trois choses : lui prêter mon vieux cheval, lui donner des vêtements de paysanne en échange de ses beaux habits et permettre à mon fils de la guider là où elle voulait se rendre pour ramener ensuite le cheval sans problèmes. Elle avait trois milles à parcourir et ses souliers de dame n'étaient pas faits pour le chemin.

— Et vous lui avez rendu ces trois services ? s'étonna Cadfael.

— Oui. Elle a enlevé ses habits et revêtu une vieille robe de ma femme. Elle a également ôté les bagues de ses doigts et une chaînette en or et les a données à ma femme, en disant qu'elle n'en avait plus besoin et que ces bijoux pourraient payer une partie de sa dette. Et elle est montée sur mon cheval ; mon garçon l'a accompagnée à pied et est revenu avec l'animal avant la nuit. C'est tout ce que je sais d'elle, car je ne lui ai rien demandé.

— Même pas où elle voulait aller ?

— Même pas. Mais mon fils me l'a dit à son retour.

— Et où est-elle allée ?

— A un endroit appelé Godric's Ford, à l'ouest d'ici, à l'entrée de la forêt.

— Ah ! je vois, dit Cadfael, comprenant tout car, à Godric's Ford, vivait une petite communauté de sœurs Bénédictines, dépendant de l'abbaye de Polesworth.

C'était donc là, dans le couvent le plus proche que s'était rendue Avice de Thornbury, à l'heure du danger, pour s'y cacher et y trouver refuge, sous la protection d'une abbaye puissante et respectée, jusqu'à ce que l'assassin de Huon de Domville fût identifié et arrêté, sa mort vengée, et sa maîtresse oubliée. Dans ce havre sûr, elle se montrerait peut-être encline à révéler tout ce qu'elle savait, à la condition qu'elle-même restât en sécurité dans sa retraite.

Voilà ce qu'il pensait en remerciant Ulger pour son aide, avant de remonter en selle et continuer sa route vers Godric's Ford. C'était là une démarche très naturelle pour une femme avisée qui craignait d'être mêlée à un grand scandale et aux conséquences multiples d'un crime.

Et pourtant... pourtant, elle avait laissé son genet d'Espagne et elle était partie à pied. Et pourtant, elle avait échangé ses atours contre des vêtements de grosse laine et enlevé les bagues de ses doigts pour payer une partie de sa dette à la famille qu'elle avait quittée longtemps auparavant!

Situé dans une vaste clairière, le couvent de Godric's Ford se composait d'un bâtiment long et bas, et d'une petite chapelle en bois; un haut mur de pierres entourait le potager et le verger, tous deux très bien tenus et où les arbres n'avaient plus à présent que la moitié de leur feuillage doré. A l'intérieur de l'enceinte, sur une plate-bande fraîchement retournée, une novice d'âge mûr, à la silhouette et au visage agréablement potelés, repiquait des plants de choux pour le printemps suivant. Cadfael l'observa en franchissant le portail et en mettant pied à terre. Bon juge en matière d'efficacité et de compétence, il apprécia l'assurance et l'économie de ses gestes. A l'instar des moines Bénédictins, les sœurs Bénédictines prônaient le travail manuel et devaient se donner aussi généreusement à la culture de la terre qu'à la prière. Cette femme, respirant la santé, vaquait à sa tâche comme une bonne maîtresse de maison, contente d'elle-même; d'un pied large, elle tassait fermement le sol autour de ses plants, et l'air placide et satisfait, essuyait la terre de ses mains. Elle était bien en chair, pas très grande, et son visage, malgré sa rondeur et sa plénitude, avait une ossature solide et volontaire, une fermeté remarquable dans la bouche et le menton.

Lorsqu'elle s'aperçut de la présence de Cadfael et de sa mule, elle se redressa avec la lenteur prudente et le grognement du vrai jardinier; ses yeux bruns et malins, sous des sourcils bizarrement obliques, dardèrent sur lui un regard pénétrant qui l'engloba tout entier, du capuchon aux sandales.

Délaissant la plate-bande, elle s'avança d'un pas tranquille.

— Soyez le bienvenu, mon Frère! lança-t-elle sur un ton joyeux. Peut-on vous aider?

— Dieu bénisse cette communauté! dit solennellement Cadfael. Je voudrais m'entretenir avec une dame qui, récemment, est venue ici chercher refuge. Ou du moins, c'est ce que je crois. Elle a pour nom Avice de Thornbury. Pourriez-vous me conduire jusqu'à elle?

— Très volontiers, répondit la novice.

Sa joue couleur de pomme de reinette se creusa soudain d'une fossette inattendue qui disparut presque aussitôt. La beauté, sous son aspect le plus mûr et le plus serein, resplendit et s'enfuit avec la fossette, laissant la place à l'expression habituelle de la novice, un air de paix et de simplicité.

– Si vous cherchez Avice de Thornbury, vous l'avez trouvée. C'est moi.

Dans le parloir sombre du couvent, moine Bénédictin et future sœur Bénédictine étaient assis, l'un en face de l'autre, et se regardaient avec grand intérêt. La supérieure leur avait accordé l'autorisation de s'entretenir et la porte venait de se refermer. Les manières de la novice révélaient tant d'autorité et d'assurance qu'il semblait surprenant qu'elle dût demander la permission de deviser avec son visiteur, et encore plus surprenant qu'elle le fît avec toute l'humilité requise. Mais Cadfael était déjà convaincu qu'avoir affaire à cette femme réservait bien des surprises.

Où était-elle à présent, cette maîtresse d'un baron normand, à qui sa beauté avait permis de vivre dans le luxe, d'être choyée et de satisfaire tous ses caprices? Une telle créature aurait dû tenter de sauvegarder ses charmes avec des fards, des crèmes et des sortilèges secrets; elle aurait dû étudier l'art du mouvement et de la grâce et se priver de manger pour éviter de trop grossir. Cette femme-là avait placidement glissé dans l'âge mûr, laissant les rides se former sur son visage et son cou sans chercher à les dissimuler, et le gris envahir ses cheveux bruns. Elle était encore vive et énergique et le serait toujours; sûre d'elle-même, elle ne ressentait pas le besoin d'être ou de paraître autre qu'elle était. Et telle quelle, elle avait gardé le cœur de Huon de Domville pendant plus de vingt ans.

– Oui, affirma-t-elle immédiatement en réponse à la question de Cadfael. Je me trouvais au rendez-vous de chasse de Huon. Il voulait que je ne fusse jamais loin de lui, où qu'il allât. J'ai parcouru son domaine de long en large plus d'une fois.

Sa voix basse et agréable était aussi sereine que sa personnalité, elle parlait de son passé comme aurait pu le faire la plus respectable des épouses après la mort de son mari, évoquant la tendresse conjugale tranquille, quotidienne et banale.

— Quand vous avez appris qu'il était mort, demanda Cadfael, vous avez pensé que vous feriez mieux de disparaître? Vous a-t-on dit que c'était un assassinat?

— Tout le monde le savait dès l'après-midi, répondit-elle. Je n'avais rien à y voir, je n'avais aucun moyen de deviner qui avait commis ce crime. Je n'avais pas peur, si c'est cela que vous pensez, Frère Cadfael. Je n'ai jamais agi par peur.

Elle le dit simplement et sans fioritures et il la crut. Il serait même allé plus loin et aurait juré que, de toute sa vie, elle n'avait jamais connu la peur. Elle prononça ce mot avec une légère curiosité, comme si elle mettait la main dans une toison pour en juger le poids et la qualité.

— Non, il ne s'agit pas de peur, plutôt du refus de jouer un rôle dans une affaire notoire ou publique. J'ai été discrète pendant plus de vingt ans; je n'aurais pas supporté de devenir un objet de risée. Et quand quelque chose est fini, pourquoi s'attarder? Je ne pouvais pas le faire revivre. C'était fini. J'ai quarante-quatre ans et l'expérience de la vie. Comme vous, je suppose, mon Frère, ajouta-t-elle, lui lançant un regard soutenu, alors que la fossette apparaissait et disparaissait.

Car je pense que je ne vous surprends pas autant que je l'aurais cru.

— De même, répliqua Cadfael, que je ne peux concevoir qu'il y ait un homme que vous ne surprendriez pas. Mais oui, j'ai vécu assez longtemps dans le monde avant de choisir le cloître. Serait-ce faux de ma part de supposer que ce fut d'abord votre don d'étonner qui vous attira la faveur de Huon de Domville?

— Croyez-moi si vous voulez, dit Avice, se redressant avec un soupir et croisant ses mains de paysanne sur son giron, je ne m'en souviens pas. Tout ce que je sais, c'est que j'ai eu assez de jugeote et d'audace pour prendre ce qu'une fille comme moi pouvait trouver de mieux et pour en payer le prix sans barguigner. J'ai encore la jugeote et l'audace, je choisis ce qui se présente de mieux pour une femme de mon âge et de mon passé.

Ses paroles restaient en deçà de ce qu'elle voulait dire, mais elle savait très bien qu'il avait compris. Elle avait reconnu immédiatement la fin d'une carrière. Trop âgée à présent pour tirer fruit d'une nouvelle liaison, trop avisée pour en vouloir une, peut-être trop loyale même pour y penser, après tant d'années, elle avait cherché quelque chose qui convînt à ses capacités et son énergie. Avec son passé, il n'était plus temps d'envisager un mariage ordinaire. Que restait-il à une telle femme?

— Vous avez raison, continua Avice, détendue et à l'aise. J'ai bien employé mon temps, lorsque j'attendais Huon, les nombreuses fois où je l'ai attendu, plusieurs semaines d'affilée, parfois. Je sais lire et compter et faire beaucoup d'autres choses. J'ai besoin d'utiliser ce que je sais et peux faire. Ma beauté, qui ne fut jamais remarquable, s'en est allée à présent. Personne ne va la désirer ou être prêt à payer pour l'avoir. Je plaisais à Huon, il était habitué à moi. J'étais son bon lit de plumes lorsque les autres femmes l'agaçaient et le fatiguaient.

– Vous l'aimiez? demanda Cadfael.

L'attitude de la femme était telle que cette question ne semblait pas déplacée. Elle y réfléchit sérieusement.

– Non, on ne peut pas dire que je l'aimais; ce n'était pas ce qu'il désirait. Après toutes ces années, bien sûr, il y avait une certaine tendresse et une certaine routine qui nous convenaient à tous deux et résistait au temps. Quelquefois, nous n'avions même pas de relations charnelles, confia pensivement la novice. Nous restions simplement assis à boire du vin, à jouer aux échecs qu'il m'avait enseignés ou encore à écouter des ménestrels. Moi, je travaillais à une broderie et lui buvait son vin, l'un et l'autre, de part et d'autre de la cheminée. Parfois, nous n'échangions ni baisers, ni caresses, bien que nous partagions confortablement la même couche.

Comme un vieux châtelain et son épouse d'âge mûr, toute simple et affable. Mais cette époque était finie et elle savait voir la réalité en face. Elle avait sincèrement pleuré son compagnon, même lorsqu'elle réfléchissait activement à son avenir et se frottait les mains à la pensée de se lancer dans une nouvelle entreprise, bien différente. Une vie si débordante d'intelligence devait servir à quelque chose, trouver un domaine où s'épanouir. La jeunesse ne lui ouvrirait plus de voies, à présent, mais il y en avait d'autres.

– Pourtant il est venu vous voir, reprit Cadfael, la veille de son mariage. « Et sa fiancée, continuat-il mentalement, est une belle jeune fille de dix-huit ans, soumise et héritière de grands domaines. »

Elle se pencha, le visage débonnaire et méditatif, comme si elle examinait objectivement les arcanes de l'esprit humain, si obstiné et en même temps, si enclin au conformisme.

– Oui, il est venu. C'était la première fois depuis son arrivée à Shrewsbury et cela fut la dernière. La veille de ses noces... Oui, le mariage est un contrat d'affaires, n'est-ce pas? Comme le concubinage! L'amour... ah! ça, c'est autre chose, qui n'a rien à voir avec l'un ou l'autre. Oui, je l'attendais au rendez-vous de chasse. Ma situation n'aurait pas été changée par cette union, vous comprenez.

Frère Cadfael comprit. Celle qui, pendant vingt ans, avait eu le statut de maîtresse n'aurait pas été chassée par l'héritière (achetée, elle aussi), de vingt-six ans sa cadette. Elles appartenaient à deux mondes bien distincts et l'une, autant que l'autre, avait sa propre légitimité.

– Il est venu seul?

– Oui, seul.

– Il vous a quittée à quelle heure?

Maintenant il était au cœur du problème. Car cette respectable courtisane n'avait sûrement pas pris part à l'assassinat de son maître, ni même ne l'avait trompé avec son régisseur, cet homme jaloux, fidèle et soupçonneux qui lui était attaché avec une loyauté sûrement méritée et datant de longtemps. Cette femme avait certainement les pieds sur terre lorsqu'elle avait affaire à ceux que les circonstances amenaient à la servir, et elle devait les respecter comme ils apprenaient à la respecter.

Elle réfléchit soigneusement.

— Il était six heures passées ce matin-là. Passées de combien, je n'en suis pas sûre, mais l'aube commençait à poindre. Je l'ai accompagné jusqu'au portail. Je me souviens, on distinguait déjà les couleurs, il devait être près de la demie. Je suis allée jusqu'au buisson de grémil, qui a continué à donner des fleurs très tard cette année et j'en ai cueilli quelques-unes que j'ai mises à son chaperon.

— Six heures passées, plus près de la demie que du quart, pensa Cadfael à haute voix. Dans ce cas, il ne peut pas avoir atteint le lieu du guet-apens et de l'assassinat plus tôt qu'un quart d'heure avant Primes, et probablement plus tard.

— Alors là, mon Frère, je dois avouer que je ne connais pas cet endroit. En ce qui concerne son départ, autant que je puisse l'affirmer, il est parti environ vingt minutes après six heures.

Il fallait compter un quart d'heure, même à une vitesse trop grande pour la faible clarté, pour qu'il parvienne au lieu où l'attendait le piège. Combien de temps avait duré l'attaque elle-même? Au moins dix minutes. Non, l'assassin n'avait pas pu quitter le site de l'embuscade avant au moins sept heures moins le quart, et même plus tard, très probablement.

Il lui restait à poser une question essentielle. Nombre d'interrogations qui l'avaient tracassé avant qu'il ne rencontrât ce témoin essentiel et commençât à se frayer un chemin vers la vérité en écartant, les unes après les autres, toutes ses hypothèses fausses, étaient devenues inutiles. Comme, par exemple, la raison qui l'avait poussée à abandonner tout ce qu'elle possédait, même ses bagues, à laisser son genet d'Espagne à l'écurie et à se dépouiller de tous les profits d'une vie. Il avait d'abord songé à la hâte et à la peur, à la nécessité pressante de trouver un refuge sûr et à l'abandon incohérent de tout ce qui pourrait la rattacher à Huon de Domville. Puis, quand il l'avait trouvée déjà revêtue de l'habit de novice, il avait cru qu'elle avait été touchée par le repentir et avait ressenti le besoin de renoncer à tout, avant d'entrer au couvent pour passer le restant de sa vie à expier son passé. Il voyait à présent l'ironie de tout cela. Avice de Thornbury ne se repentait de rien. De même qu'elle n'avait jamais eu peur, il était certain qu'elle n'avait jamais eu honte de sa vie. Elle avait conclu un marché et s'y était tenue, aussi longtemps que son maître avait vécu. A présent, redevenue sa propre maîtresse, elle pouvait disposer d'elle-même comme elle l'entendait.

Elle avait abandonné ses beaux atours comme un vieux soldat délaisse des armes qui ne présentent plus ni intérêt, ni utilité, pour employer l'énergie considérable qui lui reste à s'occuper de sa ferme. C'était ce qu'elle avait l'intention de faire désormais. Sa ferme à elle serait les ressources de ce couvent de Bénédictines; elle s'attellerait à cette tâche et y réussirait. Il ressentit même une certaine sympathie apitoyée pour la poignée de religieuses qui avaient accueilli, dans leur colombier, ce faucon à l'air inoffensif. Dans trois ou quatre ans, elle en serait la supérieure. Dans dix, elle serait abbesse de Polesworth et renforcerait, en outre, l'influence et la gloire de cette abbaye, autant que ses finances. Après sa mort, il se pourrait fort bien qu'elle fût canonisée.

En attendant, bien qu'à présent, il n'y eût aucun doute sur sa droiture et son honnêteté, elle avait le droit de savoir qu'en agissant civiquement, elle risquait de voir sa vie privée perturbée

— Vous devez comprendre, dit scrupuleusement Cadfael, que le shérif peut très bien vous demander de témoigner à un procès où un homme risquera sa tête, et que des vies innocentes peuvent dépendre de l'accueil fait à vos paroles. Témoignerez-vous de tout cela devant une cour de justice, comme vous l'avez fait en face de moi?

— Il y a au moins un péché, répliqua Avice de Thornbury, que j'ai évité de commettre toute ma vie. Ou plutôt il ne m'a jamais tentée. Je ne mens pas et je ne feins pas. Je dirai la vérité pour vous le jour où vous me le demanderez.

— Et puis il y a un autre problème que vous serez peut-être capable de résoudre. Huon de Domville, vous ne le savez sans doute pas, donna congé à ses serviteurs, lorsqu'il vint vous avoir et nul homme de sa suite n'admet avoir idée de l'endroit où il aurait pu aller. Pourtant, celui qui lui a tendu cette embuscade et l'a tué sur ce sentier l'avait suivi assez loin pour décider qu'il retournerait par le même chemin, ou alors, et cela est plus vraisemblable, savait-il très bien où il allait. Celui qui savait cela connaissait votre présence au rendez-vous de chasse. Vous m'avez dit que vous faisiez toujours preuve de discrétion et pourtant quelqu'un devait être au courant.

— Bien sûr, on ne me laissait pas voyager sans escorte, remarqua-t-elle avec bon sens. Je suppose que certains de ses vieux serviteurs devaient avoir deviné que je n'étais pas loin, mais savoir où exactement... Qui le connaîtrait mieux que celui qui m'a conduite là-bas sur l'ordre de Huon, deux jours avant l'arrivée à Shrewsbury de Huon et de sa suite? J'étais toujours sous la responsabilité d'un seul homme de confiance, toujours le même. Pourquoi en mettre d'autres dans la confidence? Ces trois dernières années, c'était toujours le même homme.

-- Nommez-le, demanda Frère Cadfael.

CHAPITRE 9

Le shérif avait limité ses recherches de la matinée aux bois les plus proches, sur la berge sud de la Meole; il avait disposé ses hommes en ligne, comme des rabatteurs à la chasse, chacun ne perdant pas de vue ses voisins, et tous avançant ensemble, lentement et méthodiquement. Mais malgré tous leurs efforts et tout le temps passé, ils n'avaient rien pris dans leurs rets. Ils n'avaient débusqué personne, ni vu quiconque qui ressemblât à Joscelin Lucy. Lorsqu'ils avaient rompu leur cordon pour se rassembler et se restaurer, ils avaient constamment rencontré les patrouilles gardant les abords de la ville. A Saint-Gilles, la curiosité avait poussé les lépreux à sortir observer, à la distance prescrite, toute cette activité. Gilbert Prescote n'était pas content et répondait de plus en plus sèchement aux questions et aux remarques. D'autres étaient moins amers.

— Notre ami s'est sûrement réfugié chez es siens depuis longtemps, lança Guy à Simon, sur un ton d'espoir, alors qu'ils mettaient pied à terre à la résidence de l'évêque pour avaler un rapide déjeuner. Mais j'aimerais tant en être certain! Je prendrais plaisir à ces recherches si j'étais sûr qu'on ne risque pas de le dénicher! Cela ne me gênerait pas de voir Picard s'assombrir de jour en jour, et je rirais bien si son cheval bronchait sur un terrier de blaireau et le désarçonnait. Le shérif doit faire son travail, il ne peut pas se dérober, mais Picard...! Le devoir est une chose, le venin, une autre!

— Il est persuadé que Joss a tué le vieux baron, répondit Simon, en haussant les épaules. Pas étonnant qu'il soit si acharné. Tous ses plans sont tombés à l'eau, et c'est un homme qui veut se venger à tout prix. Le croiras-tu? Il s'est retourné contre moi. J'ai ouvert mon clapet quand il ne le fallait pas, et lui ai dit carrément que je pensais que Joss n'avait ni volé, ni tué, et il s'est mis dans une colère folle. Je suis devenu persona non grata pour lui et son épouse.

— Pas possible! (Guy en resta bouche bée, mais son regard étincela.) Sais-tu que tu seras son voisin dans la battue de cet après-midi, quand nous repartirons plus loin? Ouvre l'œil et ne lui tourne jamais le dos, ou il pourrait céder à quelque tentation, s'il a des griefs contre toi. Je me méfierais de ce bonhomme; et le sous-bois est plus épais là où nous allons.

Il ne parlait pas sérieusement; la joie de savoir son camarade et ami encore en liberté l'avait rendu exubérant. Son attention, pour l'instant, était accaparée par son tranchoir, car l'air d'octobre était vif et donnait un solide appétit aux jeunes corps robustes.

— Si j'en juge par les regards qu'il m'a lancés en me chassant de la chambre d'Iveta, confessa Simon d'un air morose, tu pourrais avoir raison.

Je le tiendrai à l'œil et me montrerai plus rapide à dégainer. Lorsque le jour commencera à baisser, nous devrons revenir par nos propres moyens; je veillerai à le précéder d'assez loin et à me trouver hors de portée de sa lame. De toute façon, continua-t-il avec un petit sourire rapide pour lui-même, je dois m'occuper de quelque chose de très important avant les Vêpres. Je m'assurerai qu'il ne sera pas là pour faire tout échouer. (Satisfait, il repoussa son banc.) A quel poste t'a-t-on mis cette fois-ci?

– Avec les sergents du shérif, à mon grand dam. (Guy sourit et grimaça.) Se peut-il que quelqu'un ait soupçonné mon peu d'ardeur? Bon, si je ferme les yeux, et qu'eux ne s'en aperçoivent pas, je suis tranquille; eux veilleront. Le shérif est un brave homme, mais il est vexé et frustré; il a l'assassinat d'un haut dignitaire sur les bras et le roi Étienne commence à s'intéresser à ce qui se passe ici. Pas étonnant qu'il ne soit pas à prendre avec des pincettes! (Il repoussa son banc et s'étira en respirant profondément.) Es-tu prêt? Alors, partons! Je serai content de rentrer à condition que nous soyons bredouilles.

Ils partirent ensemble dans la vallée en contre-bas de Saint-Gilles, où le cordon des rabatteurs s'était reformé pour reprendre sa marche, en direction du sud, à la même allure décidée, à travers des taillis et des boqueteaux plus épais.

Sur une petite hauteur, située sur le côté sud de la route, et dominant la large vallée en contrebas, deux grandes silhouettes encapuchonnées observaient le rassemblement et le déploiement des forces du shérif. Ayant formé un cordon qui se détachait très visiblement sur les prairies, les hommes d'armes se mirent à avancer méthodiquement, et à pénétrer dans une partie plus boisée, chacun réglant sa position sur son voisin de droite et gardant la distance réglementaire. Le soleil perçait la légère brume qui flottait dans l'air. A mesure que les poursuivants se déplaçaient sous les arbres, leurs vêtements et leurs harnachements étincelaient et rutilaient à travers les feuillages comme des particules brillantes de poussière, qui scintillent et disparaissent puis réapparaissent pour disparaître à nouveau. A leur lente progression vers le sud répondait le lent mouvement de rotation des deux hommes qui les observaient d'en haut.

— Ils vont continuer les recherches jusqu'à la nuit, dit Lazare, avant de se retourner et de regarder les champs déserts d'où avaient été lancées les recherches.

Tout y était silencieux et tranquille à présent, les allées et venues, le brouhaha et le jeu de couleurs avaient disparu. Deux rubans argentés offraient les seules taches de lumière sous les rayons faiblissants du soleil : le plus proche était le bief, dérivé du ruisseau, qui alimentait les étangs et le moulin de l'abbaye, l'autre, plus éloigné, était la Meole, courant sur un lit caillouteux et inégal, et paraissant étrangement petite en comparaison de son large débit près des jardins abbatiaux, à un mille à peine en aval. Des oies barbotaient dans une petite crique peu profonde de la berge sud; en amont, leur jeune gardien pêchait dans une mare bordée de grosses pierres.

— C'est le bon moment, dit Joscelin, l'air songeur et poussant un grand soupir. Le shérif a dégarni la vallée de tous ses hommes pour les lancer à ma poursuite, jusqu'au crépuscule, à mon avis. Même alors, ils reviendront fourbus et découragés. Je ne peux pas demander mieux.

— Et leurs montures seront épuisées, ajouta sèchement Lazare, avant de poser sur son compagnon son regard brillant, habitué à scruter de grands espaces.

L'absence de visage ne déroutait plus Joscelin. Les yeux et la voix suffisaient à identifier un ami.

— Oui, confirma Joscelin. J'y ai pensé aussi.

— Et il a peu de montures de rechange, car il a fait appel à presque tous les hommes et réquisitionné presque tous les chevaux.

— Oui.

Bran dévala le talus pour venir s'accroupir avec confiance entre les deux hommes et s'empara d'une main de chaque côté. Il n'était absolument pas troublé par l'absence de deux doigts et la moitié d'un autre à l'une des mains. Bran reprenait du poids, un peu plus chaque jour, les grosseurs de son cou étaient devenues insignifiantes, et ses fins cheveux blonds repoussaient en abondance par-dessus les cicatrices, sur sa petite tête qui contenait beaucoup de choses.

— Ils sont loin, remarqua-t-il simplement. Que faisons-nous maintenant?

— Nous? dit Joscelin. Je croyais que c'était l'heure de ta leçon avec Frère Marc. T'a-t-il donné congé aujourd'hui?

— Frère Marc a dit qu'il avait du travail à faire.

A en juger par le ton, Bran ne croyait pas trop à cette excuse, étant donné que depuis qu'il le connaissait, il avait toujours vu Frère Marc travailler, sauf pendant son sommeil. L'enfant se serait presque offusqué d'être ainsi écarté s'il n'avait pas eu ces deux compagnons d'élection sur qui se rabattre.

— Tu as dit que tu ferais tout ce que je voudrais aujourd'hui, rappela-t-il sévèrement à Joscelin.

— Et je tiendrai parole jusqu'à ce soir, acquiesça Joscelin. Là, j'aurai, moi aussi, du travail à faire. Ne perdons pas de temps. Qu'ordonnes-tu?

— Tu as dit que si tu avais un couteau, tu étais capable, continua Bran, de sculpter un petit cheval dans un morceau pris au tas de bois pour l'hiver.

— Tu ne me crois pas et pourtant je le peux; et je pourrais aussi faire un cadeau à ta mère, si nous trouvons le bois qui convient. Mais pour le couteau, je doute qu'ils nous en prêtent un à la cuisine, et je ne veux pas prendre celui qu'utilise Frère Marc pour tailler ses plumes. Il vaut plus que ma vie, lança-t-il d'un ton léger, avant de se raidir à la pensée que sa vie ne vaudrait pas grand-chose si les poursuivants s'en revenaient trop tôt.

Tant pis; ces quelques heures appartenaient à Bran.

— J'ai un couteau, annonça fièrement l'enfant, un couteau bien aiguisé avec lequel ma mère préparait le poisson quand j'étais petit. Venez, allons chercher un morceau de bois!

Les ramasseurs de bois mort étaient rentrés bien chargés, la réserve était pleine, et on pouvait se permettre d'y soustraire une petite bûche au grain fin pour y sculpter un jouet. Bran agrippa les deux mains qu'il tenait, mais le vieil homme libéra doucement son membre mutilé et s'écarta. Il balayait toujours du regard les frondaisons en contrebas où l'immobilité avait remplacé les frémissements et la rumeur qui signalait la progression des hommes d'armes.

— Je n'ai vu messire Godfrid Picard qu'une seule fois, dit Lazare pensivement. Quelle place avait-il dans la ligne, quand ils ont commencé?

Joscelin le regarda avec surprise :

— La quatrième, à partir d'ici. Un brun, maigre, habillé en noir et fauve, avec un couvre-chef rouge vif orné d'une plume.

— Ah! c'était lui... (Lazare ne relâcha pas sa surveillance, ni ne tourna la tête.) Oui, j'ai remarqué la tache rouge. C'est facile à repérer en cas de besoin.

S'éloignant un peu de la route, il s'assit sur l'herbe du talus, le dos appuyé contre un arbre. Il ne détourna pas la tête lorsque Joscelin céda aux instances de Bran et qu'ils le laissèrent à la solitude qu'il aimait tant.

Frère Marc avait vraiment du travail à faire ce jour-là, bien que cela eût pu attendre un jour ou deux, si cela consistait dans les comptes qu'il dressait pour Foulque Reynald. Il était méticuleux et jamais en retard dans la tenue de ses livres. Ce qu'il y avait d'urgent, à la vérité, c'était de trouver une activité qui lui permettrait d'avoir l'air occupé sous le porche de la grand-salle, là où la lumière était la meilleure et où il pourrait surveiller attentivement les faits et gestes de son hôte mystérieux, sans que cela fût trop visible. Il s'était parfaitement rendu compte que le faux lépreux avait manqué l'office de Primes ainsi que le petit déjeuner, et qu'il avait réapparu innocemment, un peu plus tard, tenant Bran par la main. Il était clair que l'enfant s'était fortement entiché de son nouvel ami. Les voir ainsi liés – le gamin sautillant joyeusement pour ne pas être distancé par les longues enjambées qui imitaient si soigneusement, mais si imparfaitement la démarche d'infirme de Lazare, et l'homme, aux gestes si doux et si attentionnés, – les voir ainsi avait donné à Marc la conviction illogique, mais compréhensible que quelqu'un d'aussi gentil et d'aussi prodigue de son temps et de sa patience ne pouvait absolument pas être un voleur ou un assassin. Dès le début, il lui avait été difficile de croire au vol, et plus il observait son réfugié – car il pouvait l'identifier à présent sans problèmes –, plus il trouvait absurde l'idée que ce jeune homme eût pu se venger par un meurtre. Si cela avait été le cas, il se serait enfui sous son déguisement, en claudiquant et en faisant résonner sa crécelle avec zèle, et il aurait franchi depuis longtemps le cordon, mis en place par le shérif, pour recouvrer sa liberté. Non, il avait une raison plus urgente qui le retenait là, un problème qui pourrait mettre sa vie en plus grand péril avant qu'il parvînt à le résoudre de façon satisfaisante.

Pourtant, cette présence pesait sur la conscience de Marc. Personne d'autre ne l'avait percée à jour, personne ne pouvait répondre pour lui, ni être tenu pour responsable, si on en venait au pire, pour avoir caché Joscelin et avoir gardé le silence. Donc Marc l'observait et l'avait observé toute la journée depuis qu'il était revenu de son escapade. Et jusqu'à présent, le jeune homme lui avait facilité la tâche. Toute la matinée, il avait tenu compagnie à Bran et était resté à la maladrerie, aidant à ranger le bois glané, à rentrer ce que l'on avait fauché sur le talus et dessinant avec l'enfant sur l'argile séchée d'une petite dépression qui se remplissait d'eau en temps de pluie, de la bonne argile bien lisse que l'on pouvait modeler et remodeler à volonté après qu'un jeu se fut terminé en rires et en cris de joie. Non, un jeune gaillard dans le pétrin qui pouvait si gaiement se plier aux exigences et aux besoins d'un enfant misérable, était incapable de faire le mal, et le devoir de surveillance que s'était assigné Marc se transformait rapidement en devoir de protection, ce qui en augmentait le caractère urgent.

Il avait vu Joscelin et Lazare traverser la route et choisir leur poste d'observation dominant la vallée pour assister à la mise en branle des recherches de l'après-midi, et il avait vu Joscelin revenir avec Bran qui dansait, donnait des ordres et bavardait à ses côtés. A présent, tous les deux étaient assis près du mur du cimetière, concentrant innocemment leur attention sur la taille d'un morceau rapporté du tas de bois. Il lui suffisait de franchir légèrement le seuil pour les apercevoir : la tête blonde de Bran couverte d'un léger duvet de nouveaux cheveux, penchée au-dessus des grandes mains adroites qui façonnaient et taillaient avec tant d'application et de dévouement. De temps à autre, il entendait des rires ravis. Quelque chose qui prenait forme les enchantait. Frère Marc rendit grâces à Dieu pour ce quelque chose qui procurait tant de plaisir à un enfant pauvre et mis à l'écart, et il se sentit définitivement acquis à la cause de celui qui apportait tant de bonheur.

Cela ne l'empêchait pas d'éprouver une curiosité tout humaine, qui le poussait à savoir ce
qu'étaient ces merveilles que l'on fabriquait près
du mur, et après une heure ou deux, cédant à la
curiosité comme tout être mortel, il alla voir.
Bran l'accueillit avec une exclamation de plaisir,
et brandit le cheval sculpté, un cheval grossier,
fougueux, sans détails, mais un cheval bien
reconnaissable, haut d'une main et demie. La tête
voilée et encapuchonnée du sculpteur était penchée sur un travail supplémentaire, gravant dans
une autre pièce de bois les traits d'un enfant facilement identifiable. Ses yeux bleus et lumineux,
qu'il ne cherchait pas à cacher, se levaient rapidement de temps à autre pour étudier Bran avant de
se baisser à nouveau sur l'objet qu'il tenait en
main. Deux mains intactes, à la peau saine, lisse
et hâlée, deux mains jeunes. Il avait oublié toute
prudence.

Frère Marc retourna à son poste, renforcé dans
un sentiment d'allégeance auquel il ne pouvait
trouver de justification logique. La petite tête
sculptée, vivante avant même d'être totalement
façonnée, à part le visage, l'avait conquis sans
rémission.

L'après-midi passa ainsi, la lumière s'affaiblit
jusqu'à rendre impossible tout effort artistique.
Marc ne distinguait plus ses calculs qui étaient
achevés de toute façon, et il était sûr que Joscelin
Lucy – il avait un nom, pourquoi ne pas le lui
donner ? – n'y voyait pas assez pour continuer à
sculpter et devait avoir abandonné ou terminé son
petit portrait de Bran. On venait d'allumer les
lampes lorsque l'enfant entra en coup de vent,
brandissant l'objet avec des petits cris de joie
surexcitée, pour que son professeur l'admirât.

– Regardez! Regardez! Frère Marc! C'est moi! Mon ami a fait mon portrait!

Et c'était lui, sans aucun doute, cette sculpture grossière, contrariée ici et là par le grain obstiné du bois et un couteau inadéquat, mais vif, espiègle et heureux. En revanche, l'ami qui l'avait sculpté ne l'avait pas suivi à l'intérieur.

– Cours vite, s'exclama Frère Marc, cours le montrer à ta mère. Donne-le-lui, elle sera si heureuse. Elle est un peu abattue aujourd'hui. Elle va l'aimer et l'admirer. Vas-y!

Bran acquiesça, radieux, et s'en alla. Même sa démarche avait gagné de l'assurance, à présent qu'il avait pris du poids et qu'il mangeait régulièrement.

Frère Marc se leva et quitta son bureau aussitôt que l'enfant fut sorti. Dehors, la lumière diminuait, mais il faisait encore jour. Il restait près d'une heure avant les Vêpres. Il n'y avait personne près du mur du cimetière. Descendant le talus sans hâte, comme quelqu'un prenant l'air du soir, la haute silhouette élancée de Joscelin Lucy s'arrêta au bord de la route, pour s'assurer qu'elle était déserte, avant de la traverser et de rejoindre l'endroit où le vieux Lazare était encore assis, seul et perdu dans ses pensées.

Frère Marc quitta son bureau et suivit à distance discrète.

Là-bas, sous l'arbre de Lazare, il y eut un long silence. Dans l'ombre, deux hommes bougèrent, quelques rares paroles furent échangées; de toute évidence, ces deux-là se comprenaient très bien. Dans la pénombre, où avait pénétré et disparu une silhouette encapuchonnée, une autre silhouette avait surgi, aux contours bien visibles

223

dans la lueur pâle du ciel, une haute silhouette agile et jeune, sans cape ni capuchon, vêtue d'un simple habit, heureusement sombre qui se confondait avec l'ombre lorsqu'elle bougeait. La silhouette se pencha vers l'arbre. Marc pensa qu'elle s'inclinait sur une main, puisqu'on ne lui avait pas offert la joue. Le baiser de règle entre parents fut certainement échangé.

L'habit de lépreux resta dans un coin. De toute évidence, il se refusait à entraîner la réputation de Saint-Gilles dans l'aventure périlleuse, quelle qu'elle fût, où il allait se lancer. Joscelin Lucy, qui ne possédait rien au monde que ce qu'il était et ce qu'il portait, sortit de l'ombre et, à grandes enjambées souples dévala la pente jusqu'à la vallée. Il ne restait qu'une demi-heure avant les Vêpres et il faisait encore dangereusement clair en terrain découvert.

S'en tenant au devoir qu'il s'était fixé, Frère Marc contourna prudemment l'arbre qui abritait le vieillard et suivit Joscelin le long de la pente abrupte. Puis ce fut le bief que le jeune homme franchit d'un bond léger et souple, et Marc d'un saut mal assuré et plus maladroit; puis vint le ruisseau : des lueurs se reflétaient sur le lit de galets. Marc eut les pieds trempés, n'y voyant guère dans le demi-jour, mais il put atteindre l'autre rive sans autre dommage et longer les prairies en bordure du ruisseau en ne perdant pas de vue la haute silhouette de Joscelin.

A mi-chemin, dans le fond de la vallée, du côté des jardins de l'abbaye, ce dernier s'éloigna du ruisseau et s'enfonça dans la frange des bois et des taillis qui bordaient les prairies. Frère Marc le suivit fidèlement, se glissant d'arbre en arbre, ses yeux s'accoutumant à la lumière qui décroissait, ce qui lui donnait l'impression qu'elle ne s'affaiblissait pas du tout, mais restait inchangée et limpide, échappant pour l'instant aux brouillards nocturnes. Regardant sur sa droite, Marc distinguait nettement les contours de son monastère qui se détachait sur la lueur rosée du couchant; les toits, les tours et les murs dominaient le ruisseau, la pente douce des champs de pois et les jardins avec leurs murs et leurs haies.

Le crépuscule tomba; même sur l'herbe, les couleurs jetèrent leurs derniers feux avant que l'approche de la nuit ne les changeât toutes en douces nuances de gris. Tout était ombre sous les arbres, mais Marc, se faufilant prudemment de buisson en buisson, distinguait encore la seule ombre qui bougeait. Il entendait également les bruits de sa progression sous le couvert, puis un piétinement inquiet et un mouvement de recul suivis soudain d'un léger hennissement anxieux, étouffé rapidement, lui sembla-t-il, par une main douce et caressante. Une voix chuchota, à peine plus forte que le bruissement des feuilles et la même main flatta gentiment une épaule lisse et solide. Ces bruits trahissaient la joie et l'espoir aussi clairement que s'il avait pu percevoir les paroles.

De sa cachette sous les arbres, à quelques pas, Frère Marc aperçut vaguement la tache pâle et indistincte qui était la tête et le cou d'un cheval gris argenté, couleur gênante pour une telle entreprise nocturne. Quelqu'un avait été fidèle à la parole donnée au fugitif et lui avait amené sa monture au lieu de rendez-vous. Qu'allait-il se passer ensuite?

Ce qui arriva, ce fut le doux tintement de la cloche annonçant les Vêpres, qui résonna au loin, mais distinctement de l'autre côté du ruisseau.

Presque au même moment, Frère Cadfael tombait sur l'apparition d'un cheval gris clair et, arrêtant sa mule pour ne pas l'effrayer, se mettait à réfléchir à tout ce que cela impliquait. Il ne s'était pas pressé de repartir de Godric's Ford, se sentant dans l'obligation de fournir à la supérieure des explications crédibles de sa présence là-bas, et il avait trouvé en la mère supérieure une femme accueillante et bavarde. Elle n'avait guère de visiteurs et son habit recommandait Cadfael à sa bienveillance. Elle n'avait pas voulu le voir partir avant de s'être fait raconter en détail le mariage manqué et l'émoi qui s'était ensuivi. Et Cadfael n'était pas homme, non plus, à refuser une coupe de vin, quand on la lui proposait. Ce qui explique qu'il avait pris congé un peu plus tard que prévu.

Lorsqu'il monta sur sa mule et partit, Avice de Thornbury était encore au travail dans le jardin; elle tassait le sol autour des plants avec autant de vigueur et de satisfaction qu'auparavant, et la plate-bande était presque achevée. C'était avec la même énergie déterminée qu'elle gravirait les échelons de la hiérarchie, aussi honnête et juste qu'ambitieuse, mais sans pitié envers les religieuses plus faibles qui céderaient devant elle, faute d'avoir son intelligence, sa force et son expérience. Elle adressa à Cadfael un geste joyeux de la main, la fossette creusant la joue et disparaissant. En chemin, il songeait à l'empreinte ineffaçable de la beauté passée et se demandait si la novice ne devrait pas trouver quelque moyen de supprimer cette habitude, apte à déconcerter les évêques, ou si, au contraire, cette grâce ne se révélerait pas une arme redoutable dans son arsenal. A la vérité, il n'éprouvait qu'un grand respect pour elle. Ce qui était plus important, c'était que nul n'oserait tenter de réfuter le témoignage qu'elle apporterait avec son franc parler incontestable.

Il s'en revenait donc, à une allure régulière, mais sans précipitation, laissant la mule aller à son pas. Vers l'heure de Vêpres, dans le crépuscule qui tombait, il trottinait sur le sentier, pas très loin de l'endroit où était mort Huon de Domville. Il reconnut le chêne au passage, et ce fut quelques minutes après, alors qu'il apercevait déjà les espaces moins sombres des prairies entre les arbres, qu'il perçut des bruissements sur sa droite, qui se maintenaient à sa hauteur, tout en restant à distance. La prudence lui fit faire halte et garder le silence, l'oreille tendue, mais les bruits continuèrent sans aucun souci de discrétion. C'était rassurant, et il reprit sa route tranquillement, mais sur le qui-vive. De temps à autre, là où les buissons s'espaçaient, il apercevait la pâleur argentée de l'animal qui avançait au même rythme que lui. Un cheval, élancé et bâti pour la course, pâle comme un fantôme, apparaissant entre les branches. Dans les Saintes Ecritures, pensa-t-il, c'était la Mort qui chevauchait le cheval pâle. La Mort, apparemment, semblait avoir mis pied à terre ailleurs. Personne ne montait ce cheval gris, sa selle ouvragée était vide et les rênes flottaient sur l'encolure.

Cadfael mit à son tour pied à terre et mena lentement sa mule vers l'apparition, en l'appelant doucement, mais le cheval qui, pourtant, était venu près d'eux par désir de compagnie, s'effraya d'être ainsi approché et s'éloigna dans l'épaisseur des bois. Cadfael le suivit patiemment, mais toutes les fois où il rejoignait presque le cheval, celui-ci repartait en trottinant, l'entraînant de plus en plus profondément dans le bois. Les forces du shérif avaient dû passer l'après-midi à battre les sentes et n'avaient dû rentrer à travers fourrés et taillis que récemment, à la nuit tombante, chaque homme se frayant son propre chemin. L'un d'eux avait sans doute été désarçonné, incapable de rattraper sa monture effrayée et forcé de rentrer ignominieusement à pied, ou bien...

Soudain, le cheval gris resurgit devant lui, gracieux et bien visible dans la relative clarté d'une petite clairière et la faible lueur des étoiles; il baissa la tête un moment pour brouter l'herbe, mais, lorsque Cadfael s'approcha à nouveau, il secoua sa crinière, s'ébroua et s'enfonça encore sous les arbres de l'autre côté. Mais cette fois, Cadfael ne le suivit pas.

Sur l'herbe de la petite clairière, un homme gisait sur le dos, sa barbe noire et frisée pointant vers le ciel, ses longs cheveux noirs ébouriffés, ses bras étendus en croix et tordus, une main griffant l'air et l'autre le sol. Un couvre-chef de brocart, visible simplement par sa plume blanche, se trouvait dans l'herbe près de sa tête. A quelques pas de sa main droite, qui était vide, quelque chose de long et de fin capta assez de lumière dans la pénombre pour jeter des reflets métalliques. Frère Cadfael tâtonna avec précaution, et trouva une garde de poignard et une lame fine, plus longue que la main et le poignet d'un homme. Il passa son doigt dessus, et s'apercevant qu'il n'y avait pas de sang, la laissa là où elle était. Que cette dague en dise plus lorsqu'on y verrait mieux! A présent, il ne pouvait pas faire grand-chose dans la pénombre, à part essayer de sentir le pouls et le martèlement du cœur, mais les deux avaient cessé de battre. A genoux, aux côtés du mort, en l'examinant attentivement et en évitant son ombre portée, Cadfael concentra son attention sur le visage et s'aperçut, malgré le peu de clarté, qu'il était congestionné, la bouche grande ouverte, les yeux exorbités, la langue pendante et mordue.

Comme Huon de Domville, Godfrid Picard avait été victime d'un guet-apens alors qu'il rentrait chez lui et n'avait pas survécu à cette rencontre.

Frère Cadfael laissa tout en plan, abandonna l'anglo-arabe gris à ses propres caprices, et s'en fut à l'abbaye, imposant à sa mule stupéfaite l'allure la plus rapide qu'elle eût jamais adoptée.

CHAPITRE 10

Iveta avait eu toute la journée pour reprendre ses esprits et s'entraîner à la dissimulation. La nécessité est un bon maître, et il était indispensable qu'avant le soir, on en vînt à faire si peu de cas d'elle qu'on n'estimerait pas utile de surveiller ses moindres gestes, pourvu qu'elle ne franchît pas les portes. De toute façon, où aurait-elle pu aller? La potence attendait son amoureux, le seul ami qu'elle se connaissait était banni de sa présence, et même le moine qui s'était montré gentil envers elle n'avait pas été aperçu à l'abbaye depuis l'aube. Où aller? Qui appeler à l'aide? Elle était complètement isolée.

Elle avait joué son rôle toute la journée, avec d'autant plus de conviction et de perfection que son cœur rebelle exultait à la pensée du soir qui approchait. Dans l'après-midi, elle se plaignit d'un mal de tête et prétendit que l'air lui ferait du bien si elle pouvait se promener dans le jardin; Madeleine devant travailler à une robe d'Agnès dont la broderie de fils d'argent s'effilochait et requérait des soins experts, elle reçut l'autorisation d'y aller sans être accompagnée. Agnès eut une moue de dédain en lui accordant la permission. Quel mal pouvait-on attendre d'une créature aussi docile?

La démarche lente et les manières languissantes, Iveta sortit et s'empressa même de s'asseoir sur le premier banc de pierre du jardin, au cas où on aurait envoyé quelqu'un l'espionner, mais dès qu'elle fut certaine de n'être observée par personne, elle se faufila prestement jusqu'aux plates-bandes, à travers la haie taillée, et franchit le petit pont du jardin aux simples. La porte de l'herbarium était grande ouverte, et quelqu'un s'y affairait. Iveta commença à croire au succès de son plan. Frère Cadfael devait avoir un assistant, bien sûr! On pouvait avoir un besoin urgent de remèdes en son absence. Il fallait un aide qui sût où les trouver et comment s'en servir, même s'il n'avait pas l'expérience ni le savoir-faire de Frère Cadfael.

Frère Oswin était en train de ramasser les tessons de deux des soucoupes en argile qu'ils utilisaient pour trier des graines, et il sursauta, l'air coupable, en entendant des pas sur le seuil. Ces objets étaient les premiers qu'il brisait depuis trois jours, et comme ils en avaient des quantités, et que les récipients eux-mêmes étaient facilement et rapidement remplacés, il avait espéré faire disparaître les tessons subrepticement, sans souffler mot de l'incident. Il se retourna donc sur la défensive, mais resta interdit devant l'apparition inattendue. Son visage candide, aux bonnes joues roses demeura bouche bée, les yeux écarquillés de stupéfaction. On pouvait se demander qui, de Frère Oswin ou de la jeune fille, rougissait le plus.

– Pardonnez mon intrusion, dit Iveta d'une voix hésitante. Je voulais demander... Il y a deux jours, Frère Cadfael m'a donné une potion pour dormir lorsque j'étais souffrante. Il m'a dit qu'elle était à base de pavot. La connaissez-vous?

Oswin avala sa salive, acquiesça vigoureusement de la tête et réussit à parler :

– La potion se trouve dans ce flacon. Frère Cadfael n'est pas ici aujourd'hui, mais il aurait voulu... Si je peux vous être utile... Il aurait voulu que vous ayez tout ce qu'il vous faut.

– Alors puis-je avoir une autre dose? Car je pense en avoir besoin ce soir.

Ce n'était pas un mensonge, mais une déformation délibérée de la vérité, et Iveta en rougit, voyant ce jeune homme, aux cheveux blondasses, aussi potelé et innocent qu'un poussin, lui offrir ses services en toute confiance.

– Puis-je avoir une double dose? Assez pour deux nuits? Je me souviens de la quantité qu'il m'a prescrite.

Frère Oswin lui aurait livré toutes les denrées de l'herbarium, tellement il était ébloui. Sa main tremblait légèrement en remplissant une fiole et en la bouchant, et lorsque Iveta tendit la main, tout aussi timidement, pour la prendre, il se rappela la Règle et baissa les yeux devant elle, un peu tard, toutefois, pour sa tranquillité d'esprit.

Ce fut rapidement terminé. Elle chuchota des remerciements, jetant un coup d'œil nerveux derrière elle, comme si elle se croyait observée, et glissa la fiole dans sa manche bien plus adroitement que ne l'avait manipulée Oswin. Ses pieds et ses mains à lui semblaient avoir retrouvé la maladresse de grand dadais qui était sienne, quelques années auparavant, lors de son adolescence boutonneuse, mais malgré cela, le regard qu'elle lui jeta en partant le fit se sentir sûr de lui, grand et adroit. Il demeura pensif sur le seuil, la suivant des yeux tandis qu'elle s'élançait sur le pont et il se demanda s'il n'avait pas trop hâtivement décidé qu'il avait la vocation. Il n'était pas encore trop tard pour changer d'avis; il n'avait pas encore prononcé ses vœux définitifs.

Cette fois, il ne baissa pas les paupières avant qu'elle n'eût disparu dans l'allée taillée, et même alors, il resta là quelques minutes à méditer. Chaque voie, ici-bas, avait ses inconvénients, supposa-t-il tristement. Dans un cloître ou au-dehors, nul homme ne pouvait tout avoir.

Iveta courut jusqu'au banc de pierre abrité de la brise. Elle y était assise, les mains croisées et l'air apathique lorsque Madeleine vint la chercher. Iveta se leva docilement et rentra avec elle à l'hôtellerie, où elle travailla sans enthousiasme à la broderie qui était son prétexte depuis des semaines, bien que son aiguille ne fût point si active qu'elle dût défaire la nuit ce qu'elle brodait le jour, à l'instar d'une certaine Dame Pénélope, dont elle avait entendu parler par un jongleur ambulant, dans la maison de son père, il y avait bien longtemps de cela.

Elle attendit jusqu'à ce qu'il fût presque l'heure des Vêpres et que la lumière s'affaiblît. Agnès avait mis la robe qui venait d'être raccommodée et Madeleine peignait ses cheveux pour la soirée. Tandis que messire Godfrid Picard recherchait l'assassin en fuite avec une détermination farouche, le rôle de son épouse consistait à maintenir une apparence de dévotion, à assister à tous les offices possibles et à cultiver l'estime de l'abbé, du prieur et des moines.

– Il est temps que vous vous prépariez, ma fille! dit-elle, lançant un regard agacé à sa nièce par-dessus une épaule revêtue de brocart.

L'air indifférent Iveta restait les mains sur les genoux, tout en pressant fermement son poignet sur la fiole dans sa manche.

– Je ne pense pas venir ce soir. J'ai la tête lourde, et je n'ai pas bien dormi. Si vous voulez bien m'excuser, madame, je souperai maintenant avec Madeleine et irai me coucher tôt.

Naturellement, si elle restait à l'écart, on la laisserait inévitablement à la garde de Madeleine, mais elle avait pris ses dispositions.

Agnès haussa les épaules, son beau profil d'airain exprimait le dédain.

– Vous avez beaucoup d'états d'âme ces derniers temps. Eh bien! restez si vous le préférez. Madeleine vous préparera une potion.

Ainsi fut fait. La dame s'en alla sans hésitation. La suivante installa une petite table dans la chambre d'Iveta et apporta du pain, de la viande et un breuvage de lait miellé et de vin, une boisson chaude épaisse et sucrée, idéale pour dissimuler le goût fortement sucré du sirop de pavot de Frère Cadfael. Madeleine fit quelques allées et venues avant de s'asseoir près de celle qu'elle gardait, assez longtemps pour lui permettre de retirer un gobelet du breuvage innocent et de le remplacer par le contenu de la fiole d'Oswin, assez longtemps pour le remuer et être sûre de l'avoir parfaitement mélangé. Iveta feignit de manger, mais refusa de boire davantage; elle eut la satisfaction de voir Madeleine finir la cruche avec un plaisir évident. En outre, cette dernière n'avait pas beaucoup mangé : l'effet ne serait pas tempéré par les aliments.

Madeleine rapporta les plats aux cuisines de l'hôtellerie, mais ne revint pas. Après dix minutes d'attente dans une angoisse fébrile, Iveta alla voir et la trouva ronflant sur un banc, installée confortablement dans un coin des cuisines.

Sans prendre le temps de revêtir ni cape ni souliers, la jeune fille s'enfuit dans le crépuscule, en chaussons de cuir souple, comme elle était, et traversa la cour, comme un levraut pourchassé, à moitié à l'aveuglette, avant de s'élancer dans l'allée vert sombre du jardin. Elle vit miroiter la lueur argentée du bief, et tâtonna le long de la rampe du pont. Le ciel était étoilé, à demi voilé encore, comme pendant la journée, mais d'une luminosité pâle derrière le voile. L'air frais et pur grisait comme du vin. Dans l'église, les chants majestueux et intenses s'élevaient encore, grâce à Dieu ! Grâces soient rendues à Dieu et à Simon, le seul ami loyal...

Sous le large avant-toit de l'herbarium, Joscelin attendait dans l'ombre, pressé contre le mur. Il lui tendit les bras et l'enlaça tandis qu'elle l'étreignait passionnément de ses bras minces. Ils restèrent un long moment sans dire mot, respirant à peine, s'agrippant désespérément l'un à l'autre. Un silence et une immobilité parfaits les enveloppèrent, comme si le bief, le ruisseau et le fleuve même s'étaient arrêtés de couler, comme si la brise avait cessé, comme eux, de respirer et les plantes même de croître.

Puis l'urgence de la situation resurgit pour tout effacer, même les premiers balbutiements de leur amour.

– Oh! Joscelin! C'est vous...

– Ma chérie...! Chut! Doucement! Venez par ici. De ce côté! Prenez ma main!

Elle s'agrippa docilement et le suivit à l'aveuglette. Pas par la voie qui l'avait amenée. A présent, ils étaient de l'autre côté du bief, il leur restait le ruisseau à traverser. Puis ce fut le jardin clos et les champs de pois, fraîchement labourés en cette saison et s'étendant jusqu'à la Meole. Joscelin s'arrêta un moment à l'abri d'une haie pour scruter le crépuscule désert, et s'assurer, l'oreille aux aguets, de l'absence de tout bruit inquiétant, mais tout restait silencieux. Elle chuchota à son oreille :

– Comment avez-vous pu traverser? Comment ferez-vous avec moi?

– Chut! J'ai Briard au bout du champ; est-ce que Simon ne vous l'a pas dit?

– Mais le shérif fait surveiller tous les chemins, souffla-t-elle en tremblant.

– Dans la forêt... dans l'obscurité? Nous passerons!

Il l'attira contre lui et se mit à longer le champ en se tenant dans l'ombre protectrice de la haie.

Le silence fut brusquement déchiré par un violent hennissement indigné, qui fit s'arrêter net Joscelin. Au bord de l'eau, les buissons s'agitèrent frénétiquement, des sabots frappèrent le sol et un homme vociféra. Des cris confus s'élevèrent et de la masse de la haie qui le dissimulait Briard surgit entraînant un homme avec lui. D'autres silhouettes suivirent, quatre au moins, bondissant pour ne pas être piétinées tout en essayant de calmer et de maîtriser le cheval qui se cabrait.

Des hommes armés, les troupes du shérif,

contrôlaient la berge, entre eux et la liberté. Toute possibilité de fuite par là était anéantie, Briard était perdu. Sans un mot, Joscelin fit demi-tour, entraînant Iveta, et revint sur ses pas avec une hâte furieuse, restant au plus près des buissons.

— L'église, murmura-t-il, lorsque, terrorisée, elle tenta de le questionner, la porte qui donne sur la paroisse...

Même s'ils en étaient encore aux Vêpres, ils seraient tous dans le chœur et la nef de la grande église ne serait pas éclairée. Du cloître, ils pourraient peut-être se faufiler sans être vus et sortir par la porte ouest qui était la seule à s'ouvrir à l'extérieur de l'enceinte et n'était jamais fermée, sauf aux époques de troubles et de grand danger. C'était un infime espoir, il le savait. Si on en venait au pire, ils demanderaient le droit d'asile dans l'église même.

Leurs mouvements rapides les trahirent. Près de l'eau où, à présent, se tenait Briard renâclant et tremblant, une voix hurla :

— Il est là-bas, il revient dans le jardin ! Nous le tenons ! Allez !

Quelqu'un rit et trois ou quatre hommes se mirent à gravir la pente sans se presser plus qu'il le fallait. Leur proie ne pouvait plus leur échapper.

Joscelin et Iveta s'enfuirent, main dans la main, retrouvant le jardin aux simples, le bief, l'allée entre les haies noires bien taillées, et débouchèrent dans la grand-cour aux espaces dangereusement découverts. Ils n'avaient pas le choix : aucune autre issue ne s'offrait à eux. La pénombre qui s'épaississait pouvait peut-être dis-

simuler leurs identités, mais pas la hâte de leur
fuite. Ils n'atteignirent jamais le cloître. Un
homme d'armes leur barra le passage. Ils se
rabattirent vers la porterie où des torches brû-
laient déjà dans leurs appliques murales, mais
deux autres hommes d'armes apparurent à la
grande porte. Du jardin surgirent leurs poursuivants, l'air satisfait et prenant leur temps. Celui
qui marchait en tête avançait fièrement dans la
lumière tremblotante des torches; son visage
joyeux, content de lui était celui de ce gaillard
astucieux ou bien renseigné qui avait suggéré à
son officier de fouiller la propriété de l'évêque, et
en avait été récompensé par de l'avancement. La
chance lui souriait de nouveau. Le shérif était
occupé avec tous ses hommes, à part une poignée,
à passer les bois au peigne fin, et c'étaient ceux
qui restaient qui avaient débusqué la proie!

Entraînant Iveta dans le renfoncement du mur
de l'hôtellerie, où des escaliers de pierre menaient
jusqu'au porche, Joscelin la mit derrière lui. Bien
qu'il fût sans armes, ils prirent tout leur temps et
manœuvrèrent prudemment pour l'encercler de
très près. Sans quitter des yeux le déploiement
ennemi, il lança par-dessus son épaule et avec un
calme désespéré :

– Entrez, mon amour et laissez-moi! Personne
n'osera vous arrêter ni vous toucher!

Elle murmura instinctivement :

– Non, je ne vous abandonnerai pas! – et
comprit aussitôt qu'elle le gênait dans son ultime
tentative.

Alors elle se retourna avec un sanglot pour
monter avec peine jusqu'au porche, comme il
l'avait ordonné. Mais pas plus loin! Pas une

marche de plus! Juste assez loin pour ne pas gêner ses mouvements et lui laisser le champ libre, mais assez près pour ressentir dans sa propre chair ce que lui endurerait, et réclamer sa part de ce qui s'ensuivrait, châtiment ou délivrance. Mais cet instant d'hésitation momentanée avait causé la perte de Joscelin, car il avait détourné la tête pour ordonner d'une voix prenante et furieuse :

– Allez! pour l'amour de Dieu!

Et cette inattention avait fourni l'occasion rêvée à ses adversaires, qui se ruèrent des trois côtés à la fois, comme une meute lâchée.

Mais ils n'eurent pas facilement le dessus, bien qu'il fût désarmé. Jusqu'alors, tout s'était passé en un silence stupéfiant, mais soudain, il se fit un tumulte indescriptible : le sergent rameutait ses hommes, les portiers, les novices, les frères lais, les invités accouraient tous pour voir ce qui se passait, des voix questionnaient, d'autres leur répondaient, bref, c'était un tintamarre à réveiller les morts. Le premier garde qui se précipita sur Joscelin avait mal calculé soit son propre élan, soit la rapidité de son adversaire à se ressaisir et il fonça sur un large poing qui le fit chanceler et déséquilibrer deux de ses camarades. Mais de l'autre côté, deux autres s'étaient agrippés aux vêtements du jeune homme, et bien qu'il envoyât son coude dans le ventre de celui qui le tenait par sa cotte, et qui se plia en deux, le souffle coupé, l'autre ne lâcha pas le capuchon de Joscelin qu'il se mit à le tordre, resserrant l'étau, pour que son adversaire se soumît, sous peine d'être étranglé. Joscelin se jeta en avant; il ne put se libérer tout à fait, mais le tissu se déchira, ce qui lui permit de respirer à nouveau, tandis qu'il donnait un violent coup de pied dans le tibia du soldat qui poussa un hurlement de douleur. L'homme lâcha prise pour sautiller sur place et frotter sa jambe endolorie; Joscelin ne laissa pas passer cette si faible chance; il s'élança non pas sur l'homme, mais sur la poignée de sa dague. Elle jaillit dans sa main, aussi aisément que si elle avait été huilée, et il la fit tournoyer, la lame jetant des éclairs à la lueur des torches.

— Allez! venez! Je vous avertis : je vendrai chèrement ma peau!

— Tant pis pour lui! hurla le sergent. A vos épées! Il l'a voulu!

On vit surgir les épées, une demi-douzaine d'éclairs brefs étincelant et disparaissant dans la pénombre. Au brouhaha succéda un étrange silence, chacun retenant son souffle. Et ce fut dans ce silence que, venant du cloître, apparurent tous les moines, stupéfaits, à la fin des Vêpres, de trouver un tohu-bohu aussi choquant dans leur enceinte d'ordinaire si paisible. Une voix indignée, forte et autoritaire, résonna dans la cour :

— Arrêtez! Que nul ne bouge ni ne frappe!

Tous s'immobilisèrent, puis, soumis et circonspects, se retournèrent lentement pour affronter celui qui parlait. L'abbé Radulf, cet homme austère, sec et sévère, mais maître de soi, se tenait à la lisière du champ de bataille, là où l'éclairait la lueur rouge des torches; ses yeux flamboyaient de colère tels ceux d'un ange exterminateur, et son regard brûlait dans un visage dur et froid comme de la glace. A ses côtés, le prieur Robert paraissait terne et insignifiant en comparaison, malgré toute sa fierté et sa dignité de noble normand. Derrière eux, les moines, bouche bée, attendaient, effrayés, que tombât la foudre.

Les jambes d'Iveta cédèrent sous elle; elle s'assit sur la plus haute marche et posa la tête sur ses genoux, tremblant de soulagement. L'abbé était là, il n'y aurait pas de mort, pas encore, pas encore, seulement la loi, et la mort que la loi ratifie. Une chose à la fois, à présent; il ne fallait pas regarder trop loin. Elle priait passionnément, sans paroles, pour qu'un miracle survînt.

Elle réussit enfin à apaiser les frissons qui lui parcouraient le corps et à lever les yeux pour regarder autour d'elle : la grand-cour semblait tout entière remplie de gens, et d'autres accouraient encore. Gilbert Prescote venait d'arriver et avait mis pied à terre dans l'enceinte. Ceux qui avaient participé aux recherches et revenaient par leurs propres moyens se présentaient seuls, ou par groupes de deux, étonnés et stupéfaits devant ce qu'ils trouvaient à leur point de départ, alors qu'ils n'avaient pas débusqué leur proie dans la campagne alentour. A la lumière vacillante, il fallut au shérif quelques instants pour reconnaître dans le jeune homme échevelé, prêt à se battre et adossé au mur de l'hôtellerie, le fugitif, suspect d'assassinat et de vol qu'il avait passé deux longues journées à pourchasser dans les bois.

Il s'avança rapidement à grandes enjambées.

– Père Abbé, qu'est ceci? L'homme que nous recherchons, ici, acculé dans vos murs? Que se passe-t-il?

– C'est ce que j'ai l'intention de découvrir, dit Radulf, l'air sévère. Dans mes murs, en effet, et sous ma juridiction. Si vous le permettez, messire Gilbert, il me revient de droit de m'enquérir des causes d'une bagarre aussi honteuse.

Jetant un regard métallique au cercle d'hommes armés, il ajouta :

— Rangez vos armes, tous! Je ne veux pas que l'on tire l'épée quand on se trouve sur mon domaine, ni qu'il soit fait violence à quiconque!

Le même regard flamboyant se posa sur Joscelin qui, la dague au poing, se tenait sur ses gardes, les muscles tendus.

— Et vous, jeune homme, il me semble que j'ai déjà eu l'occasion de vous adresser des paroles similaires et de vous avertir que cette abbaye a aussi une cellule punitive, et que vous pourriez vous y retrouver, si vous retouchiez à une arme. Qu'avez-vous à dire pour votre défense?

Joscelin avait récupéré assez de souffle pour parler avec ardeur. Il leva les mains pour montrer qu'il ne portait aucun fourreau d'épée ou de dague.

— Je n'ai pas apporté d'armes dans ces murs, mon Père. Voyez combien d'hommes m'encerclent. J'ai emprunté ce qui s'offrait à moi pour préserver ma vie, pas pour prendre celle d'un autre. Ma vie et ma liberté! Et malgré tout ce qu'ils peuvent dire, je n'ai jamais volé ni tué, et c'est ce que je soutiendrai au-delà ou en deçà de votre juridiction, aussi longtemps qu'il me restera un souffle de vie!

Il était presque hors d'haleine, à présent, exténué et s'étouffant de colère.

— Voudriez-vous que je me laisse docilement tordre le cou quand je n'ai causé aucun tort?

— Je voudrais que vous baissiez le ton quand vous vous adressez à moi et aux autorités civiles, rétorqua sèchement l'abbé, et que vous vous soumettiez à la loi. Rendez cette dague, vous voyez qu'elle ne peut plus vous servir, à présent.

Joscelin lui lança un long regard hostile, le visage crispé, puis il tendit brusquement la poignée de l'arme à son propriétaire qui l'accepta prudemment avant de la glisser dans son fourreau, et de se faufiler, tout heureux, derrière les autres gardes.

– Mon Père, reprit Joscelin sur un ton de défi et non de prière, je suis à votre merci. Je pense pouvoir faire plus confiance à votre justice qu'à celle de la loi; je suis sous votre juridiction et je vous ai obéi. Avant de me remettre au shérif, interrogez-moi sur ce que j'ai fait, et je vous jure de répondre en toute vérité... (il ajouta rapidement et fermement) de mes propres actes.

Car il ne prononcerait pas un mot qui pût compromettre ceux qui l'avaient aidé et lui avaient témoigné de la bonté.

L'abbé croisa le regard de Gilbert Prescote qui lui adressa un sourire déférent. Rien ne pressait, à présent que le gaillard était pris au piège et ne pouvait s'échapper. Il n'avait rien à perdre à reconnaître la prééminence de l'autorité de l'abbé.

– Je m'incline devant votre volonté, mon Père, mais je maintiens mon droit sur la personne de cet homme, déclara le shérif. Il est accusé de vol et d'assassinat, et il est de mon devoir de le garder prisonnier et de le présenter en temps voulu pour répondre de ces accusations. Et c'est ce que je ferai, à moins qu'il ne puisse, sur-le-champ, nous convaincre, vous et moi, de son innocence. Mais que cela se passe en public et en toute justice. Posez-lui vos questions, si vous le désirez. Cela m'aiderait également. Je préférerais enfermer un homme incontestablement coupable et savoir que vous avez définitivement écarté tous vos doutes, si vous en avez.

Iveta s'était remise debout, scrutant anxieusement chaque visage que révélait brièvement la lueur tremblotante. A la porterie continuaient d'arriver, un par un, des cavaliers qui restaient ébahis et stupéfaits devant cette scène. A l'arrière de la foule, elle aperçut Simon qui venait d'apparaître, étonné et abasourdi, comme les autres, et Guy, derrière lui, aussi interloqué. Il n'y avait pas que des ennemis! Lorsqu'elle croisa le regard noir et perçant d'Agnès, sortie des Vêpres aux côtés du prieur, elle ne baissa pas les yeux. Cette fois, elle avait laissé son ancienne personnalité si loin derrière, qu'il n'y avait plus moyen d'y retourner. Ce n'était pas elle qui se montrait mal à l'aise, pas elle qui ponctuait ses regards de colère et de haine pure par de fréquents coups d'œil à la porterie, examinant chaque nouvel arrivant et déçue par chacun. Agnès attendait; il lui tardait que son époux revînt pour imposer cette autorité qu'en son absence, elle sentait filer entre ses doigts. Agnès redoutait ce qui pourrait transpirer pendant que son seigneur n'était pas là pour maîtriser la situation.

Iveta se mit à descendre les marches qu'elle avait gravies à l'aveuglette, à la prière de Joscelin. Elle avançait d'un pas lent et discret, marche par marche, pour ne pas briser la tension.

– Vous devez bien vous rendre compte, dit Radulf, dévisageant Joscelin d'un air aussi rigoureux, mais moins en colère qu'auparavant, que vous avez été recherché par la loi depuis que vous vous êtes enfui par le fleuve, après votre arrestation. Vous avez dit que vous vous expliqueriez en toute franchise sur vos actions. Où vous êtes-vous caché tout ce temps-là?

Joscelin avait promis la vérité et se devait de la dire :

– Sous un habit et un voile de lépreux, lâcha-t-il brutalement, à la maladrerie de Saint-Gilles.

La grand-cour fut parcourue par un frémissement et un murmure, presque un cri d'horreur. Les invités et les moines regardèrent avec une crainte respectueuse cet être assez désespéré pour choisir un tel asile. L'abbé ne bougea ni ne sursauta, mais accepta la réponse avec gravité, le regard fixé sur le visage de Joscelin.

– Vous pouviez difficilement pénétrer dans ce sanctuaire sans aide. Qui vous a tendu une main secourable?

– J'ai dit que je me cachais là-bas, dit Joscelin d'une voix assurée. Je n'ai pas dit que j'avais reçu ou que j'avais eu besoin d'aide. Je rends compte de mes propres actions, pas de celles des autres.

– Oui, dit l'abbé, songeur, il semble qu'il y ait eu d'autres personnes. Par exemple, je doute fort que vous ayez pensé à vous cacher sur la propriété de votre maître, comme vous paraissez l'avoir fait pendant quelque temps, sans avoir un ami pour vous venir en aide. De même, si je me souviens bien, ce cheval gris que je vois emmené hors du jardin à présent – il est, comme vous, sous bonne garde – est celui que vous montiez lorsque nous nous sommes rencontrés. L'avez-vous récupéré sans aide? J'en doute.

Par-dessus l'épaule de Joscelin, Iveta regarda l'endroit où se trouvait Simon, et le vit s'enfoncer d'un pas dans l'ombre plus profonde. Il n'avait pas besoin de s'inquiéter. Les lèvres de Joscelin restèrent closes; sans ciller, il croisa le regard perspicace de l'abbé et sourit soudainement, quoique avec hésitation :

— Interrogez-moi sur mes propres actions.

— Il semble, interrompit sèchement le shérif, qu'il nous faudrait ici un responsable de Saint-Gilles. Cacher un homme recherché pour meurtre est un délit grave.

Des derniers rangs de la foule, du côté des jardins, s'éleva une petite voix aiguë et suppliante, pas très assurée :

— Père Abbé, si vous le permettez, je suis prêt à parler pour Saint-Gilles, car j'y sers.

Toutes les têtes se tournèrent, tous les yeux s'écarquillèrent d'étonnement en apercevant la petite silhouette piteuse qui s'avançait humblement vers Radulf. Le visage de Frère Marc était souillé de boue, un bout d'herbe aquatique ornait ses cheveux en désordre et, à chaque pas, l'eau dégouttait de son habit qui collait à son corps malingre en lourds plis ruisselants. Il était plutôt ridicule, et pourtant, malgré la boue, son visage tendu et sale et ses yeux gris et charitables gardaient leur dignité, et s'il y eut, à sa vue, des rires à moitié hystériques et des ricanements parmi la foule, Radulf, lui, ne sourit pas.

— Frère Marc! Que signifie ceci?

— Il m'a fallu beaucoup de temps pour trouver un gué, répondit Marc sur un ton d'excuse. Je suis désolé d'arriver si tard. Je n'avais pas de cheval pour franchir le ruisseau et je ne sais pas nager. J'ai dû faire marche arrière deux fois, et je suis tombé une fois, mais au troisième essai, j'ai trouvé un endroit peu profond. Si cela avait été pendant la journée, cela ne m'aurait pas pris aussi longtemps.

246

– Nous vous pardonnons votre retard, dit l'abbé avec gravité, et malgré tout le calme de sa voix et de son visage, on n'aurait pas pu affirmer qu'il ne souriait pas. Vous avez eu raison, semble-t-il, de penser que vous pourriez être utile ici, car vous arrivez à point nommé, si vous venez m'expliquer comment un homme recherché par la loi a pu trouver refuge à la maladrerie. Étiez-vous au courant de la présence de ce jeune homme ?

– Oui, mon Père, répondit Frère Marc avec simplicité.

– Est-ce vous qui l'y avez fait entrer et l'avez caché ?

– Non, mon Père. Mais j'ai fini par m'apercevoir, à l'heure de Primes, que nous comptions un membre de plus.

– Et vous n'avez rien dit ? Et vous avez accepté sa présence ?

– Oui, mon Père. D'abord, je ne savais pas qui c'était, et je ne pouvais pas toujours le distinguer des autres malades, car il était voilé. Et quand je me suis douté... Mon Père, aucune vie humaine ne m'appartient pour que je la remette à aucun autre qu'au Juge Éternel. Je me suis donc tu. Si j'ai eu tort, jugez-moi.

– Et savez-vous, demanda l'abbé d'une voix impassible, qui a introduit ce jeune homme à la maladrerie ?

– Non, mon Père. Je ne sais même pas si quelqu'un l'a fait. J'ai mon idée là-dessus, mais je n'en suis pas certain. D'ailleurs si je le savais, reconnut Marc, le regard innocent et le ton humble, je ne pourrais pas vous donner de nom. Il ne m'appartient pas d'accuser ou de trahir un autre que moi.

– Vous êtes deux à penser ainsi, remarqua sèchement l'abbé. Mais il vous reste à nous dire, Frère Marc, comment vous en êtes venu à passer la Meole à gué, sur les talons, d'après ce que j'ai cru comprendre, de ce jeune fugitif, qui, lui, avait eu le bon sens de se procurer un cheval pour l'aventure. Est-ce que vous le suiviez?

– Oui, mon Père. Car je savais que je pouvais avoir à répondre du fait d'avoir abrité quelqu'un de moins innocent et généreux que je ne le pensais. Et je vous assure que j'avais des raisons pour le penser. Donc, je l'ai surveillé tout aujourd'hui. Je ne l'ai pas quitté de vue un seul instant. Et lorsqu'au crépuscule, il s'est débarrassé de son habit de lépreux et s'est dirigé par ici, je l'ai suivi. Je l'ai vu trouver son cheval attaché dans les taillis de l'autre côté du ruisseau et je l'ai vu traverser. Je me trouvais dans l'eau lorsque j'ai entendu les cris de la poursuite. Je réponds de toutes ses actions d'aujourd'hui : il n'a rien fait de blâmable.

– Et le jour où il est arrivé chez vous? demanda brusquement le shérif. Comment est-il apparu pour la première fois parmi les lépreux? A quelle heure?

Frère Marc, qui ne reconnaissait qu'une seule allégeance, ne quitta pas l'abbé des yeux pour que celui-ci le guidât. D'un grave signe de tête, Radulf lui signifia que lui aussi, exigeait une réponse.

– Ce fut il y a deux jours, à l'heure de Primes, comme je vous l'ai dit, continua Marc, que je m'aperçus de sa présence. Mais on lui avait déjà donné un habit de lépreux et un voile pour dissimuler son visage, et il se comportait pratiquement à l'unisson des autres. J'en déduis qu'il devait avoir trouvé refuge chez nous au moins depuis un quart d'heure à une demi-heure pour être si bien préparé.

– Et d'après ce que je sais, remarqua l'abbé en réfléchissant et en se tournant vers Prescote, vos hommes qui patrouillaient dans la Première Enceinte, messire, ont débusqué un lièvre le même jour et perdu sa trace vers Saint-Gilles. A quelle heure l'ont-ils vu?

– Ils m'ont dit, répondit le shérif en pesant ses paroles, qu'ils avaient aperçu un homme qui s'enfuyait presque une heure avant Primes, et c'est bien près de Saint-Gilles qu'ils l'ont perdu de vue.

Iveta descendit d'une marche. Elle avait l'impression de vivre dans un rêve, un rêve dédoublé qui l'emplissait de terreur lorsqu'elle regardait d'un côté, vers Agnès, et d'un fol espoir lorsqu'elle regardait de l'autre. Car ce n'étaient pas là des voix ennemies. Et Dieu merci, son oncle n'était pas encore revenu pour jeter dans la balance son noir venin et sa subtile méchanceté. Elle n'était qu'à deux marches derrière Joscelin à présent; elle aurait pu tendre le bras et toucher ses cheveux de lin ébouriffés, mais elle craignait de briser son attention tendue à l'extrême. Elle ne l'effleura pas. Elle observait attentivement la porterie, guettant le retour de son principal ennemi. C'est pourquoi elle fut la première à remarquer l'arrivée de Frère Cadfael; seules Agnès et elle guettaient ce qui venait de ce côté-là.

La petite mule, qui avait aimé prendre son temps pendant la journée, n'avait pas du tout apprécié, en revanche, d'avoir dû forcer l'allure à la fin, et elle manifesta son mécontentement en s'arrêtant à la porterie et en refusant d'aller plus loin. Frère Cadfael, qui lui avait réclamé tous ces efforts, resta stupéfait et muet d'étonnement devant le spectacle qu'offrait la grand-cour. Iveta vit son regard rapide parcourir tous les visages tendus et elle put presque le sentir tendre l'oreille pour saisir ce qui se disait. Il aperçut Joscelin sur le qui-vive et tendu au pied des marches, vit le shérif et l'abbé échanger des regards sombres, et repéra la petite silhouette couverte de boue du jeune moine, qui, pour Iveta, parlait sur le ton innocent d'un ange gardien, le genre d'ange qui descendrait du ciel avec des excuses désarmantes et n'effraierait aucun pécheur.

En hâte, mais discrètement, Cadfael mit pied à terre, confia sa mule au portier et s'avança jusqu'aux derniers rangs sans se faire remarquer. Se sentant obscurément encouragée, Iveta descendit encore une marche.

– Ainsi, il semblerait, jeune homme, reprit Radulf posément, que vous vous trouviez à la maladrerie un quart d'heure au moins avant l'heure de Primes et peut-être même une demi-heure plus tôt.

– Je m'étais... procuré un habit, reconnut Joscelin, un peu dérouté et répondant avec circonspection, quelque temps avant de me rendre à l'office.

– Et on vous a appris comment vous comporter?

– Je suis déjà allé à l'office de Primes, j'en connais le déroulement.

– Peut-être, mais il faut certainement quelques minutes, insista doucement Radulf, pour se

250

mettre au courant de l'emploi du temps de Saint-Gilles.

— Je peux observer et imiter les autres, riposta Joscelin, aussi rapidement que n'importe qui.

— Admettons, Père Abbé, coupa Gilbert Prescote impatiemment, qu'il était là-bas bien avant la septième heure. D'accord. Mais nous n'avons aucun moyen de connaître l'heure de la mort de messire Domville.

Frère Cadfael avait compris de quoi il retournait, à présent. Voyant son chemin bloqué par des spectateurs si attentifs qu'ils restaient sourds et aveugles à ses prières et à ses tentatives polies de se faufiler parmi eux, il se mit à jouer des coudes et se fraya un chemin jusqu'aux premiers rangs. Avant que personne d'autre intervînt et fît oublier le problème qui venait d'être posé, il s'avança et s'écria d'une voix forte :

— C'est vrai, messire, mais il y a un moyen de savoir quand on l'a vu vivant et en bonne santé pour la dernière fois.

Il sortit alors de la foule, son intervention soudaine lui ayant ouvert un chemin, et surgit face à face avec l'abbé et le shérif qui s'étaient, tous deux, vivement retournés, les sourcils froncés, pour confronter le perturbateur.

— Frère Cadfael! Vous avez quelque chose à dire à ce sujet?

— J'ai... commença Cadfael, mais il s'interrompit, ressentant une sollicitude irritée à la vue de la petite silhouette de Frère Marc, tremblant de froid; il hocha la tête en signe de reproche légèrement amusé.

— Mais, mon Père, Frère Marc ne devrait-il pas changer son habit mouillé et avaler quelque chose de chaud avant d'attraper la mort?

Radulf accepta la remontrance de bonne grâce.

– Vous avez raison! J'aurais dû le renvoyer immédiatement. Tout autre témoignage qu'il pourrait avoir à fournir peut très bien attendre jusqu'à ce qu'il arrête de claquer des dents. Allez, frère Marc! trouvez-vous des vêtements secs et rendez-vous à la cuisine où vous direz à Frère Pétrus qu'il vous donne à boire quelque chose de chaud. Allez, vite!

– J'aimerais d'abord lui poser une question, s'empressa d'ajouter Cadfael. Marc, t'ai-je bien entendu dire que tu avais suivi ce jeune homme jusqu'ici? L'as-tu jamais perdu de vue?

– Jamais plus de quelques minutes, depuis ce matin, affirma Frère Marc. Il est parti de la maladrerie, il y a une heure à peine et je l'ai suivi jusqu'ici. Est-ce important?

Important pour Frère Cadfael, voulait-il dire, et pour la cause, quelle qu'elle fût, qui lui tenait à cœur. Le signe de tête satisfait de Cadfael le réconforta et le combla d'aise.

– Bien, va-t'en maintenant. Tu as fait ce qu'il fallait faire.

Frère Marc salua l'abbé et s'en fut, plein de gratitude, tout tremblant et ruisselant, jusqu'aux cuisines. Si Frère Cadfael disait qu'il avait fait ce qu'il fallait, cela suffisait à son bonheur.

– Et maintenant, demanda Radulf à Cadfael, pouvez-vous expliquer ce que vous entendez en affirmant que vous avez un moyen de savoir quand pour la dernière fois on a vu messire Domville vivant et en bonne santé?

– J'ai trouvé et interrogé une personne qui témoignera, lorsque le shérif l'exigera, que Huon de Domville a passé sa dernière nuit dans son rendez-vous de chasse, et qu'il n'en est pas parti avant six heures passées de vingt minutes le lendemain matin. Ce témoin dira également qu'à ce moment-là, il était en parfaite santé, prêt à regagner à cheval sa résidence de la Première Enceinte. Le sentier où nous l'avons trouvé est le sentier qu'il lui fallait prendre à partir de cet endroit. Et ce témoin, je l'assure, est digne de confiance.

— Si ce que vous dites se confirme, remarqua Prescote après un bref silence, c'est de la première importance. Qui est ce témoin ? Comment s'appelle cet homme ?

— Ce n'est pas un homme, dit simplement Cadfael, mais une femme. Huon a passé sa dernière nuit avec sa maîtresse attitrée qui s'appelle Avice de Thornbury.

Le choc ébranla l'innocente communauté comme un brusque vent mauvais frappe soudain dans le blé d'été, et les habits de bure frémirent comme des tiges malmenées par la bourrasque. La veille de ses noces, aller voir une autre femme ! Et après avoir soupé avec l'abbé, en plus ! Pour ceux qui avaient choisi le célibat, la seule vue d'une fiancée chaste et jeune était déjà troublante, mais une maîtresse, à qui on rend visite la veille du sacrement de mariage, outrageant ainsi la moralité du célibat et du mariage... !

Le shérif appartenait à un monde moins idéaliste. Ce n'était pas l'outrage, mais le fait matériel qui l'intéressait. Et l'abbé Radulf n'était pas trop décontenancé, non plus, par cette révélation. Sans doute ignorait-il l'expérience de la chair, mais sa haute intelligence le rendait conscient de certaines réalités. L'allusion à Avice ne le troubla pas.

— Vous vous rappelez, mon Père, continua Cadfael, pendant qu'il avait l'attention de tous, que je vous ai montré les fleurs bleues du grémil, qu'il avait à son chaperon, quand on l'a trouvé. La plante pousse dans ce rendez-vous de chasse ; j'en ai découvert là-bas, et cela confirme le récit de cette femme. C'est elle-même qui en a mis à son chaperon, lorsqu'il l'a quittée. Il y a presque deux milles de ce rendez-vous de chasse jusqu'à l'endroit où il fut attaqué et tué. Vos hommes, messire Gilbert, peuvent témoigner qu'ils ont débusqué le jeune Lucy de la Première Enceinte plus d'une demi-heure avant Primes. Donc, il n'aurait pas pu être celui qui a tendu le guet-apens à Huon de Domville et l'a assassiné. Le baron ne devait pas être à plus d'un demi-mille de son rendez-vous de chasse au moment où Joscelin Lucy était pourchassé le long de la première Enceinte jusqu'à la maladrerie.

Iveta descendit la dernière marche, ce qui l'amena aux côtés de Joscelin, et elle glissa sa main dans la sienne ; il la saisit convulsivement sans s'apercevoir qu'il lui faisait mal, et il respira, remplissant ses poumons avec tant d'intensité qu'elle sentit qu'il avait aspiré le souffle d'une nouvelle vie pour eux deux.

Agnès, le cou tendu, guettait la porterie, sans toutefois apercevoir ce qu'elle espérait. La hargne rendait son visage pointu et froid comme glace, mais elle ne disait mot. Iveta s'était attendue à des contestations violentes de sa part qui auraient pu jeter le doute dans les esprits sur les dires de Frère Cadfael et de son témoin, et même sur les témoignages des hommes du shérif. On peut se tromper ou être très imprécis dans des questions d'heure; il n'est pas si difficile de discuter sur la différence que peut faire une simple demi-heure. Mais Agnès gardait le silence, réprimant l'angoisse et la colère qui bouillonnaient en elle.

L'abbé Radulf échangea un long regard songeur avec le shérif et se tourna à nouveau vers Joscelin.

— Vous m'avez promis de dire la vérité. Je vais vous demander à présent ce que je ne vous ai pas demandé jusqu'ici. Avez-vous pris part à la mort de Huon de Domville?

— Non, répondit fermement Joscelin.

— Il reste l'accusation que lui-même porta contre vous. Lui avez-vous dérobé quelque chose?

— Non, répéta Joscelin, incapable de réprimer un accent de mépris dans sa voix.

Radulf se retourna vers le shérif avec un petit sourire ironique.

— En ce qui concerne l'accusation de meurtre, Frère Cadfael vous amènera à parler avec cette femme, et vous jugerez par vous-même à quel point on peut lui faire confiance. Quant à vos hommes, nul besoin de mettre leurs dires en question. Il me semble qu'à tout bien considérer, on doit tenir ce garçon pour innocent.

— Si ces informations sont confirmées s'empressa d'acquiescer Prescote, il ne peut pas être l'assassin. J'entendrai moi-même le témoignage de cette femme. Est-elle encore au rendez-vous de chasse? s'enquit-il, tourné vers Cadfael.

— Non, répondit le Bénédictin, se délectant à l'idée du scandale qu'allait provoquer sa réponse. Elle se trouve à présent au couvent des sœurs

Bénédictines de Godric's Ford, où elle est entrée comme novice avec l'intention de prononcer ses vœux.

Réussir à faire cligner des yeux l'abbé représentait un petit exploit; bouleverser le reste de la communauté ne fut par comparaison qu'un succès de routine.

— Et vous pensez que c'est un témoin honnête? demanda doucement l'abbé, redevenant instantanément maître de soi, tandis que le nez patricien du prieur Robert était encore tout pincé et livide, et que les rangs derrière lui frémissaient encore.

— Honnête autant qu'on peut l'être. Le shérif en jugera par lui-même. Je suis convaincu que, quels que soient ses défauts, elle ne dissimule ni ne ment.

Ils entendraient de sa bouche, sans réserves aucunes, l'histoire de sa vie, dont elle ne rougissait pas, et elle ne pourrait que les impressionner. Il n'avait aucune crainte de ce côté-là. Prescote avait les pieds sur terre, il reconnaîtrait ses qualités.

— Messire, poursuivit Cadfael, et vous, mon Père, devons-nous comprendre que vous admettez, sous réserve de questionner Dame Avice et de vérifier la véracité de ses dires, que Joscelin Lucy est tout à fait innocent de l'assassinat de Huon de Domville?

— Cela semble certain, déclara Prescote sans la moindre hésitation. L'accusation tombe d'elle-même.

— Alors, si vous me permettez de continuer, vous ne pouvez qu'admettre également qu'il a été aujourd'hui constamment sous la surveillance de Frère Marc, comme Marc lui-même nous l'a affirmé, et n'a rien fait aujourd'hui de suspect ou de blâmable.

— Il faut également l'admettre mais je pense, mon Frère, que vous avez une raison bien précise pour insister ainsi sur ce point. Quelque chose est arrivé, remarqua l'abbé le scrutant avec une attention soutenue.

— Oui, mon Père. Quelque chose que je vous aurais dit immédiatement, si je ne m'étais pas trouvé confronté à des problèmes si graves dès que je suis entré. Il est précieux pour quiconque de pouvoir affirmer que toute la journée d'aujourd'hui, il est resté sous la surveillance d'un homme honnête, qui ne l'a vu causer aucun tort. Car un autre acte de violence a été commis dans les bois derrière Saint-Gilles. Il n'y a pas une heure, en revenant, je suis tombé sur un cheval sans cavalier. Je n'ai pas pu l'attraper, mais en le suivant, je suis arrivé dans une clairière où gisait un homme mort, et, je pense, étranglé comme le premier. Je peux vous y emmener.

Dans le silence horrifié qui suivit, il se retourna lentement vers Agnès qui avait le regard fou, mais restait immobile comme une pierre.

— Madame, je suis au regret de vous apporter une telle nouvelle, mais je suis sûre d'avoir reconnu, malgré la pénombre, à partir du cheval qu'il montait...

CHAPITRE 11

Il y eut un silence total, tandis qu'elle restait
figée et livide comme une femme transformée en
statue de glace. Puis, aussi soudainement, elle
revint à la vie en poussant un cri perçant de souffrance et de rage, et dans un grand tourbillon de
jupes, tourna le dos au shérif, à l'abbé et à sa
nièce pour foncer comme une furie au milieu des
moines éberlués qui s'écartèrent vivement devant
cet assaut. Elle n'eut pas un regard pour Joscelin
Lucy, mais se précipita sur un homme, un homme
bien précis, en hurlant de rage :

— Vous, vous ! Où êtes-vous, lâche assassin, sor-
tez et montrez-vous ! Vous, Simon Aguilon, qui
avez tué mon époux !

Les rangs s'ouvrirent devant ses yeux étincelants et sa main brandie.

— Montrez-vous, assassin du diable, je vous
attends ! Écoutez-moi !

Assurément tout le monde dans la Première
Enceinte devait l'entendre et se signer en une
crainte superstitieuse, imaginant un démon venu
réclamer un affreux pécheur. Simon, lui, restait
interdit et trop stupéfait, apparemment, pour

258

essayer même de lui échapper. Bouche bée, il la regardait sans émettre un son. Elle lui fit face, le défi aux lèvres, les yeux noirs, étincelants et agrandis par la colère, rougeoyant à la lueur des torches. Guy, qui se trouvait tout près, les dévisagea tour à tour, impuissant, l'air égaré, avant de reculer furtivement d'un pas ou deux et de se retirer de ce nouveau et mortel terrain d'affrontement.

— Vous l'avez tué! Nul autre que vous n'aurait pu le faire. Vous chevauchiez à ses côtés pendant les recherches, vous étiez son voisin de rang. Je le sais : j'ai entendu l'ordre de marche. Vous, Fitz-John, dites-le! Que tous l'apprennent! Où cet homme était-il placé?

— Près de messire Godfrid, admit Guy, complètement abasourdi. Mais...

— Près de lui, oui... et sur le chemin de retour, dans ces bois épais, il lui a été facile de l'attaquer par surprise. Vous êtes revenu bien tard et bien discrètement, Simon Aguilon, après vous être assuré que lui ne reviendrait jamais.

Le shérif et l'abbé s'étaient rapprochés pour observer cette confrontation, étonnés et horrifiés, comme tout le monde, et pour l'instant, ils se gardaient d'intervenir. Agnès était hors d'elle-même et ne pouvait entendre raison. Ce fut ce que dit Simon, lorsqu'il put enfin parler, le souffle court et la gorge serrée.

— Pour l'amour de Dieu, qu'ai-je fait pour que l'on m'accuse de la sorte? Je suis complètement innocent de cette mort; je ne sais absolument rien. J'ai vu messire Godfrid Picard pour la dernière fois, il y a trois heures, bien vivant, et arpentant les bois comme nous tous. Cette malheureuse est folle de chagrin, elle s'attaque au plus proche...

— Oui c'est à vous que je m'attaque, s'écria-t-elle, et je le ferais même si un millier de gens nous séparaient. Car c'est vous le coupable! Vous le savez aussi bien que moi. Votre comédie ne vous sauvera pas.

Tendant ses mains gantées, Simon lança un appel désespéré au shérif et à l'abbé :

— Pourquoi, pourquoi songerais-je à tuer un homme qui était mon ami? Avec qui je n'avais aucun motif de querelle au monde? Quelle raison aurais-je eue pour agir de la sorte? Vous voyez bien qu'elle est devenue folle!

— Ah! mais si! vous aviez un bon motif de querelle avec lui, hurla Agnès, ivre de vengeance, et vous le savez bien. Pourquoi? Pourquoi? Vous osez demander pourquoi? Parce qu'il vous soupçonnait... non, parce qu'il savait de façon quasiment certaine que vous aviez assassiné votre oncle et tuteur.

Les accusations semblaient de plus en plus absurdes et pourtant cette fois-là, Simon retint brusquement son souffle et resta un instant immobile et livide. Dans un grand sursaut, il rompit son silence hébété pour se défendre d'arrache-pied.

— Comment cela se peut-il? Tout le monde sait que mon oncle m'a donné congé et a refusé d'être accompagné avant de s'en aller seul. Je suis parti me coucher, comme il me l'avait ordonné. Je me suis réveillé tard... on est venu me réveiller lorsqu'on s'est aperçu qu'il n'était pas rentré.

Elle balaya cet argument d'un geste méprisant de la main.

— Vous êtes allé au lit, oui, sans aucun doute...

mais vous vous en êtes relevé pour aller furtivement, en pleine nuit, tendre votre embuscade. Cela vous était facile de partir et de revenir sans être vu, une fois votre forfait accompli. La porte principale est loin d'être la seule issue dans une maison, et qui, plus que vous, avait la possibilité d'entrer et de sortir à sa guise? Qui d'autre avait les clés qu'il fallait? Qui d'autre profitait de la mort de votre vieil oncle? Et non seulement en devenant son héritier, oh non! Niez devant tous, si vous l'osez, que le soir même où l'on rapporta le corps de Huon, vous avez approché mon époux, — vous l'avez approché avant que le corps de votre oncle ne fût froid — pour conclure un marché avec nous : vous le remplaceriez auprès de ma nièce et hériteriez ainsi de la fiancée et des domaines. Niez-le, moi, je le prouverai. Ma servante était présente!

Simon jeta un regard affolé sur les visages qui l'entouraient et l'observaient, et puis protesta :

— Pourquoi n'aurais-je pas demandé la main d'Iveta? Mes domaines auraient été égaux aux siens, cela n'aurait pas été une mésalliance. Je l'estime, je la respecte. Et messire Godfrid n'a pas rejeté mon offre. J'étais prêt à attendre, à être patient. Il m'acceptait comme prétendant.

La main d'Iveta s'agrippait et serrait convulsivement celle de Joscelin. L'esprit en déroute, elle revoyait les deux rencontres où Simon lui était apparu comme son seul ami ici-bas, quand il lui avait juré assistance et loyauté envers Joscelin, la première rencontre approuvée par une Agnès souriante et gracieuse, accueillant avec satisfaction le retour de la chance, et la seconde rencontre... oui, celle-là avait été bien différente; il avait prétendu être mal reçu et banni loin d'elle, et les événements avaient confirmé ses dires. Qu'avait-il bien pu se passer entre-temps pour tout changer?

– Oui, il vous acceptait, hurla Agnès, étincelante de haine, parce qu'il pensait que vous étiez l'homme honnête que vous paraissiez être. Mais la gorge de Huon était meurtrie et tailladée – c'est ce qu'a dit le moine et mon époux l'a entendu, et vous aussi –, meurtrie et tailladée par une bague que l'assassin portait à la main droite. Et après, qui vous a jamais vu sans gants? Vous ne les quittiez plus! Mais mon époux se trouvait hier à la mise en bière de Huon de Domville, et là, vous avez été forcé, n'est-ce pas, misérable, d'ôter vos gants pour prendre le goupillon. Et ce fut à lui que vous l'avez tendu ensuite. Il vit – oh! pas la bague que vous aviez rapidement ôtée dès que le moine en avait parlé –, mais la marque plus pâle de l'anneau et celle, carrée, de la pierre. Et il se souvint alors que vous portiez autrefois une bague, une bague ressemblant à celle-là. Et il fut assez stupide pour dire ce qu'il avait vu et ce qu'il pensait lorsque vous êtes venu nous rendre visite. Il rompit alors tout commerce avec un homme qu'il avait de bonnes raisons de suspecter de meurtre.

Oui, c'était bien cela! C'était cela la raison du revirement soudain! Mais non pas, pensa Iveta, forcée de devenir adulte trop vite, non pas parce qu'il n'aurait pas accepté un assassin, à condition que nul soupçon ne se dirigeât vers lui. Non, plutôt parce qu'il n'osait risquer d'être compromis pendant que les soupçons planaient encore. Si on lui avait donné toutes garanties à ce sujet, il aurait vite fait taire ses réticences. Et Joscelin, pendant ce temps, était toujours pourchassé par la justice, et Joscelin aurait pu être capturé, capturé et pendu... Et elle serait restée seule, croyant désespérément qu'elle n'avait qu'un seul vrai ami au monde et que ce fidèle ami était Simon Aguilon. Il avait juré qu'il avait été banni pour avoir affirmé sa foi en Joscelin. Et il aurait pu, après le temps nécessaire pour endormir son chagrin à elle, il aurait pu arriver à ses fins! Elle se serra contre Joscelin et se mit à trembler.

— Je l'ai exhorté, je l'ai supplié, gémit Agnès, en se tordant de douleur, de rompre tout lien avec cet homme. Vous, vous saviez qu'il pouvait juger de son devoir de révéler ce qu'il soupçonnait, même sans preuves et vous vous êtes assuré qu'il ne pourrait jamais le faire. Mais vous avez compté sans moi!

— Vous n'êtes qu'une folle! (Simon leva les bras au ciel et sa voix devint aiguë à se briser.) Comment aurais-je pu tendre un guet-apens à mon oncle, ignorant où il était allé, ou ce qu'il avait l'intention de faire, et encore davantage par quel sentier étroit il allait revenir? Je ne savais pas qu'il avait une maîtresse dans cette région et qu'il ne résisterait pas à la tentation de passer la nuit avec elle.

Cadfael avait gardé le silence pendant tout le duel. Il le rompit alors:

— Il y a quelqu'un qui dira mieux que personne, Simon Aguilon, que vous mentez, que vous étiez au courant. Avice de Thornbury affirme, et je pense qu'il y aura deux autres témoins qui confirmeront ses dires, une fois qu'ils sauront qu'elle ne risque rien et ne demande pas le silence, elle affirme, dis-je, que vous et personne d'autre étiez l'homme de confiance qui l'escortait toujours là où son seigneur voulait qu'elle se trouvât. Vous l'avez amenée au rendez-vous de chasse. Le chemin pour y aller vous était familier, car vous l'aviez déjà parcouru. Huon de Domville n'admettait qu'un seul homme à la fois dans la confidence de ses liaisons. Pendant ces trois dernières années, vous avez été cet homme.

Agnès poussa un long gémissement de joie et de chagrin mêlés qui flotta étrangement sur la fumée tournoyante des torches. Elle tendit une main triomphante :

— Fouillez-le! Vous verrez! Il doit avoir la bague en ce moment, il ne la quitterait jamais de peur qu'on ne la voie et que l'on ne comprenne tout. Fouillez-le et vous la trouverez! Car pourquoi l'ôter si elle n'a jamais laissé de trace sur un homme assassiné?

Les hommes d'armes, obéissant aux signes discrets du shérif, avaient silencieusement refermé leur cercle étroit de cuir et d'acier autour des deux antagonistes. Simon avait trop concentré son attention sur la menace devant lui pour s'apercevoir de la vigilance tranquille qui l'entourait. Il laissa échapper un cri de défi, trahissant la colère et l'impatience, et fit volte-face pour partir :

— Je ne vais pas rester à écouter ces calomnies, cracha-t-il d'une voix suraiguë.

Ce ne fut qu'alors qu'il remarqua la ligne solide et silencieuse des hommes armés, se tenant épaule contre épaule, entre lui et le portail, et qu'il se cabra comme un cerf dont la route est barrée. Il jeta un regard désespéré autour de lui, refusant de croire à l'écroulement de tous ses espoirs.

Le shérif s'approcha à pas comptés et lui lança :
— Otez vos gants !

Ce ne fut pas un beau spectacle que celui de cet être humain qui, pris de panique, essayait de s'enfuir, se débattait comme un chat sauvage lorsqu'il fut encerclé et hurla des imprécations de défi lorsqu'il fut maîtrisé et réduit à merci. Par respect pour l'abbé, ils le traînèrent dans la Première Enceinte en usant d'aussi peu de violence que possible et là, s'occupèrent de lui. Il entrelaça ses doigts pour empêcher qu'on lui ôtât ses gants, et lorsque ses mains furent dénudées, le cercle pâle sur le médius de sa main droite brilla comme de la neige sur la terre brune fraîchement labourée, la grosse marque de la pierre clairement visible. Il se débattit et proféra des jurons lorsqu'ils le fouillèrent, s'enfonça le menton dans la poitrine avec une telle hargne qu'ils durent lui relever la tête de force pour saisir la chaînette autour de son cou, sous sa chemise, et découvrir la bague.

Après qu'ils l'eurent entraîné vers une cellule du château, — et ils durent s'y mettre à quatre pour le tenir, et non sans mal —, il se fit dans la cour un grand silence d'horreur et d'épuisement. Les yeux écarquillés, bouleversé, abasourdi, Joscelin referma les bras autour d'Iveta, et trembla de soulagement ; incapable encore de tout comprendre, il était trop anéanti pour réfléchir à la vilenie avec laquelle on s'était servi de lui. Figée dans une immobilité absolue, Agnès continua de fixer son ennemi d'un regard implacable jusqu'à ce qu'il eût disparu ; alors seulement, brisant la tension, elle se prit la tête dans les mains et, en de violents sanglots, laissa libre cours à son chagrin solitaire et hostile. Qui aurait cru qu'elle aimait tant un époux aussi peu aimable?

Il ne restait rien de la harpie. Ses bras retombèrent, et elle s'avança lentement, comme une somnambule, au milieu des spectateurs troublés, qui s'écartèrent sur son passage. Elle se retourna vers eux, une dernière fois, sur les marches de l'hôtellerie, après être passée près de la main tendue d'Iveta, comme si la jeune fille n'existait pas, et puis elle entra et disparut.

— Plus tard, dit l'abbé Radulf, calmement, mais en pesant ses mots, elle parlera davantage. Son témoignage est essentiel. Quant à son époux, il est mort. Devons-nous poursuivre les interrogatoires, puisque lui ne peut plus être interrogé?

— Pas dans un de mes tribunaux, en tout cas, acquiesça sèchement Gilbert Prescote, se retournant ensuite vers le reste de ses hommes.

— Vous, sergent, une question, avant que nous partions chercher le corps : comment se fait-il que vous ayez tendu une embuscade aussi efficace le long du ruisseau, pendant que nous ratissions la forêt? Je n'ai jamais eu vent d'un quelconque renseignement, selon lequel une tentative d'enlèvement pourrait avoir lieu ici.

— Ce ne fut qu'après que vous vous êtes mis en route, messire, que Jehan vint me trouver et me dit que, puisque l'écuyer tenait tellement à la dame, il pourrait profiter de ce que nous étions en petit nombre, pour essayer de l'enlever.

Il fit sortir des rangs le garde astucieux à qui une idée précédente, et qui s'était révélée exacte, avait valu de l'avancement. L'homme n'était plus aussi sûr de lui, à présent que les rôles étaient inversés et que son protecteur s'était avéré être le vilain de l'affaire, mais il se défendit :

— Ce fut Simon Aguilon qui me dit que l'écuyer, s'il était rusé, pourrait se dissimuler dans les jardins de son maître, vous vous souvenez, et quand nous les avons fouillés, nous avons découvert qu'il s'y était effectivement caché, bien qu'il fût parti avant notre arrivée. Cette fois-là, cela semblait aussi sensé, et nous avons donc établi une surveillance en secret.

— Mon ami, l'avertit Prescote, jetant un regard plutôt menaçant à l'homme d'armes, le ciel semblait guider ta main, mais je pense que l'enfer y était plus pour quelque chose. Quand Aguilon t'at-il suggéré de fouiller les communs de la résidence de l'évêque pour retrouver celui que nous pourchassions ? A quelle heure ?

Jehan eut le bon sens de jouer la franchise, mais sans gaieté de cœur.

— Messire, ce fut après qu'on eut rapporté le corps de messire Domville. Il m'a donné ce conseil en revenant à la résidence. Il m'a dit que si nous trouvions notre homme, il ne verrait aucun inconvénient à ce que tout le mérite m'en revînt, lui-même préférant rester en dehors de tout cela.

Joscelin se prit la tête dans les mains et la hocha d'un air désespéré, ne parvenant pas à tout comprendre.

— Mais c'est lui qui m'a aidé, il est venu me trouver, il m'a caché là-bas en homme de bon vouloir...

— En homme de très méchant vouloir ! rectifia Cadfael. Mon fils, vous lui aviez donné l'occasion non seulement d'hériter plus vite d'un grand domaine, mais aussi d'y ajouter les terres de cette dame et sa personne même. Car vous représentiez pour lui le bouc émissaire idéal : quelqu'un avec des griefs, injustement traité et en colère. C'était votre nom et lui seul qui devait venir à l'esprit après le guet-apens où Huon de Domville trouva la mort. Mais pour ce faire, il fallait que vous restiez en liberté, caché en lieu sûr jusqu'après sa mort, à un endroit qu'il pourrait désigner à vos poursuivants quand tout aurait été accompli. En partant de votre asile, vous avez sauvé votre tête et fait échouer son plan.

— Alors, ce soir, poursuivit Joscelin, les sourcils froncés à la pensée de cette trahison commise de sang-froid, comme s'il avait mal à la tête, vous voulez dire qu'il m'a délibérément tendu ce piège? Je le croyais mon seul ami; je lui ai demandé son aide...

— Comment? demanda vivement Frère Cadfael, comment lui avez-vous fait parvenir un message?

Joscelin leur dit tout, sans toutefois mentionner Lazare, Bran et ceux qui l'avaient vraiment aidé. Cela, il pourrait le raconter un jour, certainement à Iveta, peut-être à Frère Cadfael, mais pas ici, pas maintenant.

— Donc, reprit Cadfael, il savait seulement que vous vous trouviez tout près, mais pas où exactement. Il lui était impossible d'envoyer son fidèle homme d'armes vous capturer, il ne pouvait qu'attendre que vous-même alliez vous livrer à la justice, et c'est vous-même qui avez décidé comment. Tout ce qu'il eut à faire fut de transmettre votre message à votre Dame et s'assurer que votre cheval vous attendait comme vous l'aviez demandé — sinon vous n'auriez pas traversé le ruisseau pour venir dans ce jardin et y être capturé, n'est-ce pas? — et ensuite, glisser tranquillement le renseignement à Jehan. Il ne voulait pas se mettre en avant, c'est certain, remarqua ironiquement Cadfael, puisque son masque de loyauté était sa meilleure recommandation auprès de la Dame. Une fois que vous auriez été capturé et pendu, conclut-il sans mâcher ses mots, car le brave garçon répugnait à admettre à une aussi vile trahison de la part de quelqu'un en qui il avait eu toute confiance, je doute que Godfrid Picard ait eu des scrupules à marier sa nièce à un assassin, un assassin qui serait parvenu à ses fins. Mais en attendant, il y avait un risque qu'il n'a pas pu affronter, car il pouvait le compromettre, sinon lui coûter la vie.

— Parle, Jehan, ordonna le shérif avec un sourire sévère, est-ce qu'Aguilon t'a de nouveau soufflé ce qu'il fallait faire pour avoir des félicitations et de l'avancement?

— Ce matin, admit Jehan sans réfléchir, il m'a suggéré...

— Ce matin! avant même que nous nous mettions en route! Et tu n'as rien dit à ton officier ou à moi-même, avant que nous soyons loin de ton futur exploit. Ton avancement n'est pas pour demain, mon ami. Estime-toi heureux d'échapper au fouet!

De fait, estimant qu'être renvoyé sans autre châtiment, était s'en tirer à bon compte, Jehan s'éclipsa sans tarder.

— Nous ferions mieux d'aller chercher le corps, décida le shérif, s'attelant brusquement à cette nouvelle tâche. Pourriez-vous nous y mener, mon Frère? Nous allons y aller à cheval en amenant une monture pour la dernière chevauchée de Picard.

Ils partirent, une demi-douzaine de cavaliers, avec Cadfael, pas du tout mécontent de monter un beau roussin robuste à la place d'une modeste petite mule. L'abbé les regarda franchir les portes avant de se retourner pour congédier, le visage serein et la voix égale, la communauté ébahie et bouleversée.

– Que vos esprits se calment! Préparez-vous à votre souper, à présent! C'est la Règle qui doit gouverner notre journée; le commerce du monde nous est imposé pour notre pénitence et pour éprouver notre vocation. La grâce de Dieu n'est pas mise en péril par les folies ou la méchanceté des hommes.

Ils se retirèrent docilement. Sur un coup d'œil de Radulf, le prieur Robert s'inclina et suivit le reste de la communauté. Un petit sourire songeur aux lèvres, l'abbé resta face à face avec deux jeunes êtres qui se tenaient main dans la main; le doute se lisait dans leurs yeux, mais leur regard posé sur lui était ferme. Trop de choses leur étaient arrivées trop vite; ils étaient comme des enfants à demi éveillés, incapables de faire la part du rêve et de la réalité dans leurs expériences vécues et dans leurs souvenirs. Mais leur rêve avait été terrifiant, la réalité ne pouvait être que meilleure.

– Je pense, dit doucement l'abbé, que vous ne devez pas vous tracasser, mon fils, à propos de cette autre accusation portée par votre maître. Vu les circonstances, aucun homme juste ne considérerait comme vraisemblable un tel vol et Gilbert Prescote est un homme juste. Il me reste à me demander, continua-t-il pensivement, si ce fut aussi Aguilon qui cacha le collier et le médaillon de saint Jacques dans vos sacoches.

– J'en doute, mon Père (Joscelin prit la peine d'être loyal, même à présent envers un camarade qui lui avait causé un si grand tort), car, en vérité, je pense qu'il n'avait pas songé au meurtre avant que je fusse chassé et accusé, et que je choisisse la fuite. Comme l'a dit Frère Cadfael, il trouva l'occasion et le bouc émissaire. C'est messire Domville, presque certainement, qui s'est chargé de cette basse besogne, cette fois-là. Mais, mon Père, ce ne sont pas mes soucis qui m'accablent, ce sont ceux d'Iveta.

Il s'humecta les lèvres, cherchant ses mots; l'abbé, silencieux et imperturbable, ne l'aida pas. Iveta lui avait jeté un regard de surprise et d'angoisse, comme si elle redoutait que par un geste stupidement chevaleresque, il ne la laissât partir, alors qu'elle se croyait conquise de haute lutte.

– Mon Père, cette dame a été vilainement traitée par ceux qui étaient ses tuteurs. A présent, son oncle est mort et sa tante, même si elle était capable de s'occuper d'elle, ne serait pas autorisée à administrer de si grands domaines. Je vous supplie, mon Père, d'assurer sa tutelle à partir de maintenant, car je sais que vous lui garantiriez tout honneur et gentillesse, et qu'elle serait heureuse comme elle le mérite. Si vous présentez cette requête au roi, il ne la repoussera pas.

L'abbé attendit quelques instants, un léger sourire sur ses lèvres austères:

– Est-ce là tout? Aucune requête pour vous-même?

– Aucune, répondit Joscelin avec l'humilité ardente qui ressemblait et résonnait comme ce qu'elle était, l'arrogance d'un jeune noble.

– Mais, moi, j'ai une prière à formuler, s'écria Iveta avec indignation, serrant fort une main qui aurait accepté de renoncer à elle. C'est que vous ayez Joscelin en haute estime et le considériez comme mon prétendant en titre, car je l'aime et il m'aime, et bien que je sois prête à vous obéir en toutes autres choses, si vous voulez bien devenir mon tuteur, je ne me séparerai pas de Joscelin, ni n'aimerai, ni n'épouserai un autre homme.

– Allons, déclara l'abbé, réprimant un sourire, je pense que tous les trois, nous ferions mieux de souper ensemble et de réfléchir à la meilleure façon d'envisager l'avenir. Rien ne presse et il y a beaucoup de choses à mettre au point. C'est après la prière que l'on réfléchit le mieux, mais un bon repas et un verre de vin ne nous feront pas de mal.

Le shérif et ses gens transportèrent à l'abbaye le corps de Godfrid Picard, et ce avant Complies. Ils l'étendirent dans la chapelle mortuaire et apportèrent des bougies pour examiner ses blessures. Quant à sa dague, vierge de toute tache de sang, et trouvée à quelques pas dans l'herbe, là où l'avait découverte et laissée Cadfael, ils la remirent au fourreau en défaisant la ceinture de l'épée, mais on ne peut pas dire qu'ils prêtèrent beaucoup d'attention aux circonstances troublantes qui avaient amené l'arme à se trouver abandonnée dans la clairière et dépourvue de toute tache de sang.

L'homme était mort, son assassin, assassin d'un autre déjà, et d'un parent en plus, était enfermé à double tour au château de Shrewsbury. Si le second meurtre présentait de bien curieux détails, personne d'autre que Cadfael ne les remarqua ; ils l'intriguèrent quelque temps comme ils auraient intrigué ses compagnons, s'ils avaient pris la peine d'y réfléchir. Un homme était mort, étranglé, un homme qui, pourtant, était en possession d'une dague et avait eu clairement le temps de la dégainer, mais pas de l'ensanglanter. Et ceux qui tuent avec leurs mains le font parce qu'ils n'ont pas d'autre arme.

La nuit était immobile. La flamme des cierges ne vacillait pas et la lumière tombant sur le visage congestionné, la langue mordue et la gorge dénudée du défunt était assez forte pour en accuser les détails. Cadfael examina soigneusement et longuement les marques des doigts puissants qui avaient écrasé la vie, mais il ne dit rien. Et on ne lui demanda rien. Toutes les questions avaient déjà obtenu des réponses qui satisfaisaient le shérif.

— Nous ferions bien d'emmener une jument demain pour attraper ce cheval gris, dit Prescote, recouvrant le visage de Picard du suaire de lin ; c'est une belle bête ; la veuve pourrait en tirer un bon prix à Shrewsbury, si elle le désire.

Ayant achevé sa tâche, Cadfael s'excusa et alla à la recherche de Frère Marc. Il le trouva au chauffoir, les joues bien rouges, tout revigoré par un souper aux cuisines et des vêtements secs, et sur le point de prendre congé pour s'en retourner à Saint-Gilles, à ses responsabilités.

— Attends-moi un peu, dit Cadfael, je vais t'accompagner. J'ai à faire à Saint-Gilles.

Il avait quelques mots à dire, auparavant, à deux jeunes gens qui, comme il s'en aperçut lorsqu'il les trouva enfin dans le parloir abbatial, (pas moins!), n'avaient guère besoin de ses services, puisqu'ils s'étaient trouvé un plus puissant protecteur, avec qui ils étaient en totale confiance, due en partie, sans doute, au bon vin venant après une tension extrême et un soulagement extasié. Cadfael se contenta donc de les saluer, entendit leurs vives et rougissantes manifestations de reconnaissance, échangea un regard assez ambigu avec Radulf, en s'inclinant devant lui avant de les laisser à leur conversation, qui se poursuivait certes de façon fort satisfaisante, mais qui avait certaines implications pour d'autres personnes absentes.

C'étaient deux enfants au cœur généreux, rayonnant de bonne volonté envers tous ceux qui les avaient soutenus dans l'adversité. Très jeunes, très vulnérables, et à présent qu'ils étaient heureux, très passionnés et impulsifs. L'abbé leur tiendrait la bride serrée pendant quelque temps : elle dans une communauté retirée ou, bien chaperonnée, dans un de ses propres manoirs ; le jeune homme, sous une surveillance discrète dans le service qu'il choisirait, à présent qu'il était lavé de tous soupçons. Mais Radulf ne les tiendrait pas éloignés l'un de l'autre ; il était trop sage pour tenter de séparer ceux que Dieu ou ses anges avaient réunis.

Pour l'instant, il fallait se soucier d'autre chose et attendre la venue de la nuit, si ce que Cadfael avait deviné était exact.

Il s'en retourna au chauffoir, où Frère Marc, l'air satisfait et interrogateur, l'attendait auprès du feu. Jamais depuis qu'il avait été novice, il n'était resté aussi longtemps au chaud. Cela valait la peine de tomber dans la Meole!

— Tout va bien? demanda-t-il avec espoir, alors qu'à la nuit tombée, ils marchaient dans la Première Enceinte.

— Très bien, répondit Cadfael avec tant de force que Marc eut un soupir de gratitude et de bonheur, et cessa de poser des questions.

— La jeune demoiselle pour laquelle tu as demandé l'aide de Dieu, il y a quelques jours, continua allégrement Cadfael, est promise au bonheur à présent. Le Père Abbé y veillera. Tout ce qui m'intéresse à la maladrerie, c'est d'avoir une petite conversation avec ton nomade de Lazare, au cas où il partirait bientôt avant que je puisse revenir. Tu sais comme ils flairent le vent et ne tiennent pas en place avant de lever l'ancre tout d'un coup.

— Je me suis demandé, confia Frère Marc, si nous ne pourrions pas le persuader de rester. Il a pris Bran en affection. Et la mère de Bran n'en a pas pour longtemps à vivre. Elle a renoncé au monde, oh! pas à son petit garçon, mais elle sent qu'il lui a échappé et suit ses propres saints, expliqua timidement un des saints en question sans se reconnaître dans ce portrait. Elle est certaine qu'il est protégé par le ciel.

— « Et sur terre, aussi, pensa Cadfael, certains s'en occupent. »

Les langues de deux jeunes gens débordants de reconnaissance s'étaient déliées et ils avaient, dans le parloir de l'abbé, raconté toute leur histoire sans réserve et prononcé des noms en toute confiance. Joscelin avait un esprit qui apprenait

275

vite et un cœur qui n'oubliait pas les amitiés données ; quant à Iveta, dans la ferveur de la délivrance, elle voulait accueillir dans son cœur et garder pour la vie toutes les âmes, bien nées ou pas, mutilées ou pas, qui s'étaient montrées charitables envers Joscelin.

Sous le porche, à l'entrée de la grande salle de la maladrerie, le vieux Lazare, muet, immobile, patient, était assis en tailleur sur le banc, à la façon orientale, le dos bien droit contre le mur. Blotti au creux de son bras gauche, Bran dormait d'un sommeil agité, serrant sur son cœur le cheval de bois sculpté par Joscelin. La petite lampe au-dessus de la porte jetait une faible lueur jaune sur ses membres maigres et ses cheveux blonds ébouriffés, éclairant un visage barbouillé de larmes. Il se réveilla à l'arrivée de Cadfael et de Marc et se leva de son nid, tout ensommeillé ; le long bras le lâcha silencieusement et le laissa descendre du banc en un seul bond.

— Eh bien, Bran ! dit Frère Marc, d'une voix soucieuse et grondeuse. Que fais-tu dehors à cette heure-ci ?

L'étreignant énergiquement, mi-soulagé, mi-fâché, Bran lança des accusations, rendues presque inaudibles par les plis du nouvel habit trop ample.

— Vous êtes partis, tous les deux ! Vous m'avez laissé seul. Je ne savais pas où vous étiez... Vous auriez pu ne pas revenir. Lui n'est pas revenu !

— Il reviendra, tu verras.

Frère Marc attira l'enfant et s'empara d'une main hésitante. L'autre main s'affairait à récupérer le cheval de bois, temporairement négligé, mais à présent repris avec passion.

276

— Allez, viens au lit et je te raconterai tout. Ton ami va très bien et il est très heureux; il n'a plus besoin de se cacher. Tous les torts ont été réparés. Viens! je vais te raconter tout cela et lui te le racontera à nouveau quand tu le reverras... et tu le reverras, je te le promets.

— Il a dit que je serais son écuyer et que j'apprendrais le latin et le calcul, s'il parvenait à être chevalier, rappela sévèrement Bran à ses deux protecteurs, le présent et l'absent, avant de se laisser emmener, vers la porte, tout sommeillant.

Marc jeta un coup d'œil à Cadfael et, sur son signe de tête rassurant, emmena doucement l'enfant dans le dortoir.

Lazare n'esquissa aucun mouvement, ni ne dit mot lorsque Cadfael s'assit à côté de lui. Il y avait longtemps qu'il ne ressentait plus ni surprise, ni peur, ni désir, du moins pour lui-même. Il restait assis, le regard gris-bleu de ses yeux habitués à voir loin fixé sur le ciel nocturne qui commençait à couler comme de l'eau vive, un fin courant de nuages, hauts dans le ciel, tranquillement poussés vers l'est par une bonne brise, alors que sur terre les feuilles même étaient immobiles.

— Vous avez certainement entendu, remarqua Cadfael, s'appuyant confortablement contre le mur, ce que Marc a raconté à l'enfant. C'est la vérité, Dieu soit loué! Tous les torts ont été réparés. L'assassin de Huon de Domville est arrêté, et sa culpabilité ne fait aucun doute. C'est fini. Il est au-delà de toute miséricorde, sauf repentir, et de cela il n'y a pas trace. L'homme a non seulement tué son oncle, mais a trahi et a profité bassement de son ami, qui lui avait accordé sa confiance, et il a, en outre, trompé sans vergogne une jeune fille abandonnée et persécutée. C'est fini. Vous n'avez plus besoin de vous inquiéter.

A ses côtés, l'homme ne répondit pas ni ne posa aucune question, mais il écoutait. Cadfael continua d'une voix égale :

– Tout se passera bien pour elle maintenant. Le roi va sûrement consentir à ce que notre abbé devienne son tuteur. Radulf est un homme austère et aux sentiments élevés, mais c'est aussi quelqu'un d'humain et de charitable. Elle n'a plus rien à craindre, pas même pour ce prétendant qui n'a pas beaucoup de biens matériels. Ses volontés, son bonheur ne seront désormais plus tenus pour quantité négligeable et sacrifiés.

Lazare bougea dans sa grande cape et tourna la tête. Sous le voile qui l'assourdissait, la voix profonde et volontaire parla avec soin, mais en hésitant sur les mots :

– Vous ne parlez que de Domville. Et le second meurtre ?

– Quel second meurtre ? demanda simplement Cadfael.

– J'ai vu les torches au milieu des arbres, il y a une heure ou plus, lorsqu'ils sont venus chercher le corps de Godfrid Picard. Je sais qu'il est mort. Cela a-t-il été aussi mis sur le compte de l'autre homme ?

– Aguilon sera jugé pour l'assassinat de son oncle, dit Cadfael ; il y a assez de preuves. Pourquoi chercher au-delà ? Si certains lui imputent également la mort de Picard, son sort en sera-t-il changé ? On ne l'accusera pas de cela, l'accusation ne serait pas valable. Godfrid Picard n'a pas été assassiné.

278

– Qu'en savez-vous ? demanda Lazare sans inquiétude, mais avide d'explications.

– On ne lui a tendu aucune embuscade ; il était en pleine possession de ses moyens lorsqu'il fut tué, mais cela ne suffit pas. Il ne fut pas assassiné, mais arrêté en chemin et défié en combat singulier. Il avait une dague, son adversaire n'avait que ses mains nues. Il a cru, certainement, qu'il vaincrait facilement : un homme armé contre un homme désarmé, un homme dans la force de l'âge contre un vieillard de soixante-dix ans. Il eut le temps de dégainer, mais ce fut tout. La dague lui fut arrachée des mains et jetée sur le sol, non retournée contre lui. Les mains nues suffirent. Il n'avait pas pensé au poids d'une juste querelle.

– Il devait s'agir, alors, d'une très grave querelle entre ces deux-là, murmura Lazare après un long silence.

– La plus grave et la plus ancienne : une dame vilainement traitée. Elle est vengée et délivrée. Le ciel n'a pas fait d'erreur.

Le silence retomba entre eux, mais légèrement et doucement comme le voile d'une jeune fille peut flotter jusqu'à terre ou un papillon surgir de la nuit et se poser sans bruit. Le regard du vieil homme revint au flot régulier et mesuré des nuages effilochés qui filaient vers l'est au zénith. Derrière ce voile, brillait la lueur diffuse des étoiles, tandis que la terre était plongée dans l'obscurité. Derrière le voile grossier de tissu bleu défraîchi, Cadfael crut discerner un léger sourire tranquille.

– Si vous avez deviné ce qui s'est passé aujourd'hui, reprit enfin Lazare, d'autres n'en savent-ils pas autant ?

– Personne n'a vu ce que j'ai vu, répondit Cadfael avec simplicité, et personne ne le fera à présent. Les marques disparaîtront. Personne ne s'étonne. Personne ne pose de questions. Et je suis le seul à savoir. Seuls moi et celui à qui appartiennent les mains qui agirent, savons que, de ces mains, la gauche n'avait que deux doigts et la moitié d'un troisième.

Il y eut un léger mouvement sous la masse des vêtements sombres, et un éclair passa dans les yeux, clairs comme de la glace. Des plis de la cape apparurent deux mains, qui se tendirent à la lumière de la lampe, la droite valide, longue et musclée, la gauche dépourvue d'index, du médius et de la phalange supérieure de l'annulaire, les parties mutilées blanchâtres, sèches et cicatrisées.

– Si à partir de si peu, vous en avez deviné autant, mon Frère, articula la voix lente et calme, franchissez encore un pas et devinez son nom, car je pense que vous le connaissez.

– Oui, dit Frère Cadfael, son nom est Guimar de Massard.

La nuit immobile enveloppait la Première Enceinte, la vallée de la Meole et les bois que le shérif et ses hommes avaient fouillés en vain, dessinant nettement pour ce regard qui voyait loin le passage du couvre-chef rouge vif de Picard et traçant le chemin qu'il devait prendre à son retour. Au-dessus, contrastant avec cette immobilité terrestre, le ciel filait d'un mouvement égal, comme la vie fragile et flottante de l'homme qui traverse l'existence universelle pour se perdre dans l'inconnu.

– Suis-je censé connaître ce nom? demanda Lazare, figé dans l'immobilité.

— Messire, moi aussi, je me trouvais à la prise de Jérusalem. J'avais vingt ans lorsque la ville tomba. Je vous ai vu monter à l'assaut de la porte. Je me trouvais à la bataille d'Ascalon, lorsque les Fatimides d'Egypte nous assaillirent, et quant à moi, après le massacre dans Jérusalem de ceux qui juraient par le Prophète, je dis qu'ils auraient mérité mieux que ce qui leur advint. Mais il n'y eut jamais d'action vile ou indigne d'un chevalier attribuée à Guimar de Massard. Pourquoi, pourquoi avez-vous disparu après cette bataille ? Pourquoi nous laisser, nous qui vous révérions, ainsi que votre épouse et votre fils ici en Angleterre vous pleurer comme mort ? Qui de nous avait mérité cela ?

— Mon épouse, mon fils avaient-ils mérité que je leur impose le fardeau qui était venu accabler mes épaules ? demanda Lazare, l'agitation le faisant buter pour une fois sur les mots qui torturaient sa bouche mutilée. Frère, je pense que vous demandez ce que vous savez déjà.

Oui, Cadfael savait. Guimar de Massard, blessé et captif après Ascalon, avait appris des médecins qui le soignaient en captivité qu'il était atteint de la lèpre.

— Ils ont d'excellents médecins, dit Lazare, redevenu calme et immobile, plus savants que les nôtres. Et qui, mieux qu'eux, pouvait reconnaître et identifier les premiers signes terribles ? Ils me dirent la vérité. Ils firent ce que je leur demandai : ils me déclarèrent mort des suites de mes blessures. Ils me rendirent un autre service. Ils m'aidèrent à gagner un ermitage où je pourrais vivre avec mon ennemi, puisque j'étais mort pour mes amis, et livrer ce combat comme j'avais livré d'autres combats plus ordinaires. Quant à mon heaume et mon épée, ils les renvoyèrent à Jérusalem comme je les en priais.

— Elle les a, dit Cadfael. Elle les honore comme des trésors. Vous n'avez pas été oublié après votre mort. J'ai toujours su que les meilleurs parmi les Sarrasins pouvaient se montrer meilleurs Chrétiens que nombre de Chrétiens.

— J'ai trouvé mes geôliers chevaleresques et courtois. A tout moment, pendant mes années de souffrance, ils m'entourèrent d'un soutien respectueux.

« A la noblesse répond la noblesse », pensa Cadfael. Il y a des alliances qui transcendent les liens de parenté, les frontières des nations et même l'abîme infranchissable des religions. Et il était fort possible que Guimar de Massard se sentît en esprit plus proche des califes Fatimides que de Bohémond, de Baudoin et de Tancrède, qui se disputaient leurs conquêtes comme des enfants capricieux.

— Combien de temps cela vous a-t-il pris pour revenir? demanda Cadfael.

De la Méditerranée à l'autre bout de l'Europe, le voyage était long, surtout pour un homme aux pieds mutilés et qui n'avait que sa crécelle pour tout bagage.

— Huit ans. A partir du jour où j'ai entendu de la bouche d'un prisonnier anglais à l'ermitage que mon fils était mort et qu'il laissait une orpheline, à la garde des parents de sa défunte mère, car il n'y avait aucun descendant de mon côté.

Il avait donc quitté sa cellule, le refuge de tant d'années et s'était mis en route, avec sa sébile, son habit et son voile pour accomplir ce pèlerinage interminable jusqu'en Angleterre, pour s'assurer par lui-même, à la distance prescrite, que sa petite-fille était bien maîtresse de ses terres et qu'elle avait sa part de bonheur. Au lieu de cela, il avait trouvé une situation précaire, qu'il avait redressée de ses mains mutilées, donnant ainsi la liberté à sa petite-fille.

— Elle a ce à quoi elle a droit, reconnut Cadfael. Mais, malgré tout, je pense qu'elle serait heureuse d'échanger toutes les terres qui sont siennes contre un parent vivant.

Le silence fut long et glacé comme s'il s'était aventuré en territoire interdit. Néanmoins, il persista obstinément.

— La maladie n'est plus active. Et depuis des années, d'après moi. Ne le niez pas! je connais les symptômes. Ce que Dieu a imposé, à juste raison, sans nul doute, Il l'a retiré pour une autre raison aussi juste. Vous le savez! Vous ne mettez personne en péril. Quel que soit le nom que vous avez utilisé toutes ces années, vous êtes encore Guimar de Massard. Si elle chérit votre épée, pensez combien elle vous révérerait et aurait plaisir à vous voir! Pourquoi la priver maintenant de son vrai bouclier? Pourquoi vous priver de la voir heureuse? De la donner vous-même en mariage à un époux que vous estimez, je crois?

— Mon frère, dit Guimar de Massard, hochant sa tête encapuchonnée, vous parlez de ce que vous ne comprenez pas. Je suis mort. Laissez en paix ma tombe, mes ossements et ma légende.

— Pourtant il y eut un certain Lazare, dit Cadfael, en s'aventurant plus loin avec une grande appréhension, qui se leva de sa tombe à la grande joie des siens.

Il y eut un long silence où seuls se mouvaient dans le monde visible les filaments de nuage à la dérive. Puis la main droite valide du vieillard surgit des plis de sa cape et d'un geste brusque, il rejeta son capuchon en arrière.

— Et cela, était-ce le visage qui réjouit les sœurs de Lazare?

Retirant le voile, il découvrit ce qui lui restait de visage : quelque chose d'affreux, presque dépourvu de lèvres, une joue rongée, les narines devenues de grands trous décolorés, une face où seuls les yeux vifs et lumineux rappelaient le paladin de Jérusalem et d'Ascalon.

Et Cadfael se tut.

Lazare cacha son visage informe derrière le voile. Presque furtivement revinrent la tranquillité et la sérénité.

— Ne cherchez pas à rouler la pierre qui garde mon tombeau, reprit doucement la voix profonde et patiente. J'y repose en paix. Laissez-moi!

— Je dois vous avertir, alors, observa Cadfael après une longue pause, que le jeune homme a chanté vos louanges à votre petite-fille et qu'elle l'a prié de l'amener vers vous, puisque vous ne pouvez aller à elle, pour qu'elle puisse vous remercier en personne pour votre générosité envers son bien-aimé. Et puisqu'il ne peut rien lui refuser, je pense qu'ils seront là dès le matin.

— Ils comprendront, dit calmement Lazare, qu'on ne peut pas compter sur les lépreux errants, les pèlerins que nous sommes. Notre esprit est désespérément « vague ». L'envie nous prend et le vent nous emporte comme poussière. Reliques nous sommes et allons là où se trouvent des reliques pour nous consoler. Dites-leur que tout va bien pour moi.

Il posa ses pieds par terre, prudemment et lentement, à cause de leur état, et les cacha courtoisement sous les pans de son habit pour en dissimuler les difformités.

– Car tout va bien pour les morts, ajouta-t-il en se levant imité par Cadfael. Priez pour moi, mon Frère, si vous voulez.

Il se retourna et s'éloigna sans autre parole ni regard. Le martèlement du talon de sa chaussure spéciale retentit sèchement sur les dalles avant de se changer en un son creux sur le plancher à l'intérieur. Frère Cadfael s'éloigna du porche sous les nuages lents qui, telle la mort, ne s'en allaient pas à la dérive, mais poursuivaient avec détermination et volonté leur chemin prédestiné, sans se hâter ni rencontrer d'obstacles.

« Oui, pour les morts, pensa-t-il, en se dirigeant vers l'abbaye dans l'obscurité, tout va bien certainement. La jeune fille saura prouver autrement sa gratitude. Que les morts ensevelissent les morts, occupons-nous plutôt des vivants, maintenant! Qui sait? Qui sait si le gamin scrofuleux de la mendiante, une fois bien nourri, soigné et instruit ne pourra pas un jour finir comme page et écuyer de messire Joscelin Lucy? On a vu des choses plus étranges arriver dans ce monde, le plus étrange, le plus tourmenté et le plus merveilleux des mondes? »

Le lendemain, après la messe, Iveta et Joscelin se rendirent à Saint-Gilles, avec l'autorisation de l'abbé, et le cœur débordant de gratitude envers tous les occupants de la maladrerie, mais à la recherche de deux d'entre eux en particulier. Ils trouvèrent facilement l'enfant. Mais le vieux lépreux, appelé Lazare, était parti silencieusement pendant la nuit, sans un adieu et sans un mot sur sa destination. Ils le recherchèrent sur toutes les routes qui partaient de Shrewsbury et sur tous les lieux de pèlerinage de trois comtés à la ronde, mais, même sur des pieds rongés par la lèpre, il échappa à leurs recherches par des routes mystérieuses que nul ne découvrit. Une chose est certaine : il ne revint jamais à Shrewsbury.

LA COMPOSITION, L'IMPRESSION ET LE BROCHAGE DE CE LIVRE
ONT ÉTÉ EFFECTUÉS PAR LA SOCIÉTÉ NOUVELLE FIRMIN-DIDOT
MESNIL-SUR-L'ESTRÉE
POUR LE COMPTE DE CHRISTIAN BOURGOIS ÉDITEUR
EN FÉVRIER 1992

Imprimé en France
Dépôt légal : août 1989
N° d'édition : 1955 – N° d'impression : 20031
Nouveau Tirage : février 1992